JN071108

碩学の旅Ⅱ

オリエントへの旅

建築と美術と文学と

マリオ・プラーツ――著
伊藤博明・金山弘昌・新保淳乃――訳
新保淳乃――責任編集

ありな書房

碩学の旅Ⅱ

オリエントへの旅——建築と美術と文学と

目次

Mario PRAZ

I viaggi dell'erudito II
VIAGGIO IN ORIENTE
Architettura, Arte e Letteratura

Transtulerunt Hiroaki ITO
Hiromasa KANAYAMA
Kiyono SHIMBO

Commentavit et Curavit
Kiyono SHIMBO

Edidit Akira ISHII

Designavit Hikaru NAKAMOTO

碩学の旅Ⅱ

オリエントへの旅

——建築と美術と文学と

プロローグ　ロマン主義者たちのオリエント

碩学マリオ・プラーツの次なる旅の目的地は、東地中海をとりまく、レヴァント地方と総称される地域である。そこはかつて新古典主義とロマン主義の作家たちが、古代文明の揺りかごとして、霊感源に満ちた異郷として憧憬した土地であった。

一八三二年、アルフォンス・ド・ラマルティーヌは、構想中の叙事詩の霊感源を求めてオリエントへと出立した。一年半をかけてレヴァントを巡った詩人の足どりは『東方紀行』（一八三五年）に記されている。

妻と娘を伴ったラマルティーヌの一行は五月にマルセイユからマルタへ向けて出港し、フリゲート船でエーゲ海の島々のあいだを縫ってアテネに立ち寄ったのち、九月にベイルートに上陸を果たす。ラマルティーヌはまず、アンティレバノン山中にレディ・スタンホープを訪ね、この地を支配するバシール二世の宮殿に滞在した。詩人たちはそのまま馬でパレスティナを南下し聖地訪問を果たすものの、エルサレムではペストが流行しており、エジプト行の予定を変更してベイルートに戻った。一人娘ジュリアを結核でなくす悲劇にみまわれるも、翌年の三月、ラマルティーヌは二六頭の馬と護衛のキャラバンを組んで、バールベックの遺跡と「魔法のような」ダマスカスへの訪問をなしとげた。五月には海路でイスタンブールに向かい、帝都の壮麗さと人びとの寛容さに触れる。最後は陸路でバルカン半島を横断し、ベオグラードにてラマルティーヌの東方旅行は終わる。

その一六年後、二八歳のギュスターヴ・フロベールは一歳年下の友人マキシム・デュ・カンとオリエント旅行に出た。デュ・カンはまだ目新しかったカロタイプの写真機を携行して訪れた遺跡を撮影し、帰国後に写真集を刊行している。フロベールも率直な旅の記録をつけていたが、紀行文として世にだすことはなく、死後に姪が大幅に改訂したものが出版された。一九八九年（すなわちプラーツの没後）から、ようやく完全なかたちでフロベールの手記が読めるようになっている。

マルセイユから蒸気船に乗ったフロベールたちは、半月ほどでアレキサンドリアに上陸すると、カイロに向かった。彼らはこの大都市に長く滞在し、ピラミッドや古代遺跡に圧倒され、猥雑な路地を彷徨っている。サッカラー、メンフィスのピラミッド群を見たあとは、川船でナイル川をさかのぼり、古の都ルクソールへ、さらに上流のエスナ、アスワン、ヌビアへと赴いた。ふたたびナイルを下り、駱駝にまたがって紅海まで足をのばした二人の若者は、一八五〇年七月にアレキサンドリアから蒸気船でベイルートに渡り、パレスティナ、シリア、レバノンを巡り翌年六月に帰国した。フロベールの旅の記録のほぼ八割はエジプトで占められており、いかにこの土地が若き作家に特別な印象を与えたかがうかがえる。

レヴァントの風土とさまざまな民族や宗教が緊張関係を保ちつつ共生するさまを、感情豊かに歌いあげるラマルティーヌ。そして劇的で官能的なオリエントというクリシェの裏側にある醜悪、不潔、異常、残虐、つまり「グロテスク」なものに惹きつけられ、執拗に書き連ねるフロベール。いずれもヨーロッパの詩人たちのロマン主義的まなざしがつくりだしたオリエントである。

マリオ・プラーツは、こうしたロマン主義者たちの足どりを追うように、一九五〇年代半ばにレヴァントへ、一九六〇年代前半にエジプトへと旅立った。本書には、オリエント旅行のさいに書かれた紀行文的エッセイのうち、パレスティナをのぞくシリア、レバノン、エジプトへの旅を綴った一一篇が収められている。

（新保淳乃）

オリエントへの旅

一七五三年、つまりナポリ王立ヘルクラネウム考古学アカデミーがあの八巻本の『発掘されたヘルクラネウムの古代遺物』の刊行を一七五七年に開始し、新たな趣味の傾向に大きな貢献を果たすことになる何年かまえのこと、好古家ロバート・ウッドは、補佐役のジェームズ・ドーキンスとともに赴いたオリエント（東方）への考古学的な調査旅行についての著作を世に送りだした。その著作『パルミラの古代遺跡、あるいは砂漠のなかのタドモル』の序文において、ウッドは次のように記している。「パルミラから始めることは好都合であろうとわれわれは信じている。というのも、これは世間がもっとも熱心に求めているように思われる部分だからである。われわれの著作のこの巻の成功によって、残りの巻の運命が左右されることになろう」。

パルミラという、シリアの砂漠のなかにある辺鄙な隊商（キャラヴァン）都市（図1）への関心は、一六七四年に執筆され、一七三四年にデン・ハーグで出版されたコルネリス・デ・ブルイン〔コルネイユ・ル・ブラン〕の『東方旅行』によって触発されていた。そしてすでに一七一一年、スウェーデン国王カール一二世の庇護下のとある美術家〔実際は軍人のコルネリウス・ルース〕が、王命によって古代遺構の絵画を制作すべく、シリアとパレスティナ、そしてエジプトへと派遣されている。そして彼はパルミラも訪れ、素描を残しているが、その堂々たる遺跡群の姿はわれわれを驚かせる（図2）。描かれた古代遺跡は、現代のわれわれが眼にするものよりもはるかに密集しており、まるで天変地異に

図1――コルネリス・デ・ブルイン《パルミラの景観》『東方旅行』パリ版　一七一四年

図2――コルネリウス・ルース
《パルミラの古代遺跡群の眺望》一七一一年　素描
スウェーデン　国立美術館

図3——マラトンの町の眺望
図4——テルモピュレ（古名テルモピュライ）の古代の海岸線
図5——カラメンデレス（古名スカマンドロス）河の眺望
ウィリアム・ジェル『トロイアとその近郊の地誌』ロンドン 一八〇四年

襲われたあとの都市の姿のようにも思われる。しかしながら一八世紀において、パルミラという名前の響きは、むしろお伽噺的なものであった。というのも、ごくわずかな人びとしかこの都を訪れる手段や勇気をもたなかったからである。そのことを理解するには、前述のウッドによる序文中の、旅行の準備についての以下のような記述を読むだけで十分である。

この考古学的調査隊（もっともこれらの先人たちは、一八世紀の習慣にしたがって、科学者というよりはむしろ愛好家としてふるまった）の四名のメンバーたちは、ローマで合流し、この地で冬を越した。そして時間の大半を古代史や彼らが訪れようとしている国々の地理についての知識を更新することに費やした。春になり、一行はナポリから船に乗り組む。その船はロンドンで雇った船で、必要なものすべてを備えていた。計測用の器具と、旅行中に助力を請うべきトルコの要人たちやそのほかの人びとへの贈答品はもちろん、ギリシアの詩人や歴史家たちの著作、古代についての書物、既存のさまざまな旅行記のうちの最良のものなどをそろえた図書室までも備えていた。

一行はまずギリシアを訪れ、多くのギリシアの島々、ヘレスポントス［ダーダネルス］海峡、プロポンティス［マルマラ］海やボスポラス海峡の西欧側と小アジア側のそれぞれの沿岸を経て、小アジアへと入りこみ、ついにはシリアまでいたった。歴史の女神(クレイオ)と叙事詩の女神(カリオペ)によって讃えられた数々の場所において、一行はその地にかかわる古典の一節を再読した。なぜならば（ウッドの意見によれば）、マラトンの平野（図3）やテルモピュライの隘路（図4）のほかに、ミルティアデス伝やレオニダス伝を最も悦ばしく読むことのできる場所が一体どこにあり、またスカマンドロス［カラメンデレス］河の岸辺（図5）以外に『イリアス』のすばらしさをもっともよく評価することのできる場所が一体どこにあり、『オデュッセイア』の魅力を最もよく味わうことのできる場所が、オデュッセウスが旅し、ホメロスが吟じた場所のほかのどこにあるのか、というわけである。

一行はこのような具合にして古典にすっかり浸りながら、彼ら自身もまた古代人のようになってしまった。スコットランド出身の画家ギャヴィン・ハミルトンが、パルミラの遺跡群のあいだを古代風の外衣(パルダメントゥム)をまとってさまようドーキンスとウッドの姿を描いた（図6）のは、決してこの画家の空想的な思いつきなどではなかったのである。一行は古代の詩人たちにかかわる地図を作成するためにしばし滞留し、ホメロスの書を手にしつつ、スカマンドロス河の流域の地図を作成して一五日間のこのうえもなく悦ばしい日々を過ごした（図7）。碑文にゆきあたるとそれを写しとり、可能な場合にはその欠片をもちさろうとした。しかし、それは「住人たちの吝嗇と迷信」によって容易なことではなかった。一行はまた写本も蒐集しようとした。マロン派キリスト教徒の聖職者たちから買いとったそれらの写本は、一行には読めないシリア語やアラビア語で書かれており、無価値なものにすぎない可能性もあったのだが、徒手で帰国する危険を冒すよりはまだましだと彼らは値踏みしたのである。

しかし一行の主要な関心事は建築であった。ドーキンスは、デゴデがローマの古代建築についてまとめた便覧を手引きとしながら、建物のほとんどすべての寸法を測っており、『パルミラの古代遺跡』を美しく飾る挿図だと述べつつ、柱頭やエンタブラチュア、扉口、渦巻き装飾、円柱等々の詳細な図面（図8・図9）を挿図に加えてこの本が出版されるよう、物惜しみしない編集をしたのであった。一行は適切な道具も準備しており、いくつかの発掘もおこない、必要に応じて時々地元住民の労働力を雇い入れた。しかしかれら四人の先駆者たちによるこの実りの多い調査旅行は、一行の一人、ジョン・ブーヴェリーの死という不幸に見舞われることになる。やはり好古家であったブーヴェリーは、パルミラでゼノビア女王のコインを自らのコレクションに加えるつもりであったが、パルミラ到着を待たずに世を去った。貨幣やメダル、カメオや彫玉からなる彼の蒐集については、彼の死の当時、一体どれほど惜しまれたことであったろうか。その蒐集に表われた彼の洗練された趣味は、人びとを悦ばせたのであった。

ダマスカスからパルミラへの砂漠を横断する道のりには四日間もかかり、しかもハシアの高官(アガ)から遣わされた騎兵や奴隷たちからなる二〇〇名もの警護隊と多くの馬や駱駝、騾馬をひきつれての行程であった。護衛つきでもなお不安がぬぐいきれず、というのもアラブ人の騎兵たちは、おそらく彼らの存在をより重要なものにみせるためか、常に警戒態勢を保ちつつ一行を警護したからである。もっとも、まるで絵に描いた(ピクチャレスク)ような空想的な風景が、その不安をし

図6——ギャヴィン・ハミルトン
《パルミラの遺跡を発見するジェームズ・ドーキンスとロバート・ウッド》
一七五八年　スコットランド　国立美術館

図7——トローアス（スカマンドロス河流域）の地図
ギヨーム・アントワーヌ・オリヴィエ
『オスマン帝国、エジプト、ペルシア旅行用地図帳』
パリ　一八〇一年

図8――〈図23　前出のアーチのピラスター、その柱頭とエンタブラチュア〉ロバート・ウッド『パルミラの古代遺跡、あるいは砂漠のなかのタドモル』ロンドン　一七五三年

図9――〈図7　［太陽の］神殿の中庭の大扉の立面〉ロバート・ウッド『パルミラの古代遺跡、あるいは砂漠のなかのタドモル』ロンドン　一七五三年

図10——《パルミラの遺跡の景観》
ロバート・ウッド『パルミラの古代遺跡、あるいは砂漠のなかのタドモル』
ロンドン　一七五三年

《パルミラの遺跡の景観》
図11——ロバート・ウッド『パルミラの古代遺跡、あるいは砂漠のなかのタドモル』
ロンドン　一七五三年

ばしば紛らわせてくれたのではあるが。この旅行の記念碑である書物は、遺跡への愛をもって描かれた図版を豊富に含んでいる。挿図のうちでは、遺跡の全体像を示すいくつかの景観図（図10・図11）が目立っており、それらにおいて、陰影法（キアロスクーロ）を用いて緻密かつ精確に描かれた前景と、繊細な線影（ハッチング）で表わされた後景との対比が、神秘的な砂漠の存在は示唆しないものの、空間の広がりと距離の感覚を視る者に伝えている。

一行の細心の用意について思いめぐらすとき、それに先立つまるで宗教的な隠遁のような古典への沈潜について思いめぐらすとき、平均寿命が現代よりも短かった時代における、時間などまるで無関係であるかのような長期の滞在について思いめぐらすとき、そしてその一方で、わたし自身のこの隊商（キャラヴァン）の都市への旅が、ほとんど無分別なくらい短時間で可能なものであることを考えあわせるなら、電光のようにすばやい移動を可能にしてくれたわれわれの文明を誇らしく思うどころか、あたかも自分が「天使たちが足を踏みいれるのを恐れた」場所に不注意に足を踏みいれる偶像破壊者になってしまったかのように、恥ずかしい思いで頬が赤らむのを覚えるのである。

実のところ、シリアに向けて旅立つたった数日前まで、わたしの旅は実現するかどうかふたしかであった。またわざわざ古典や考古学の手引書を読んでそなえる点については、かつてギリシア旅行を決心した二〇年以上もまえ、トゥキュディデスの原書を意識的に読んだときにまで遡らなければならない。しかし二〇年以上まえともなると、まだ第二次世界大戦も始まっておらず、人びとはウッドとドーキンスの時代から、長年にわたって温められた計画や一心不乱の読書、そして熟慮のうえでの理解の時代から、現代ほどには隔たっていなかった。現代において人びとは忍耐力を失い、より性急になっている。たとえわたし自身は、ダンテの「性急は一瞬ごとに誠実さを損なう」という詩句に対する感受性をいまだ具えていた世紀の生まれではあるとはいえ、現代の環境はわたしのうえにものしかかっている。六月のはじめ、とある寛大な友人の招待のおかげでベイルート行き直行便に搭乗したとき、人が夢を見るのになにも準備をしないのと同様、わたしは旅の準備をなにもしていなかったのである。

わたしたちは朝食のあと、午後二時に出発し、その五時間後にはベイルートにいて、夕食をとろうとしていた。そしてウッドとドーキンスが一つひとつを訪ね、指定されたあちらこちらの場所で古典の書物をひもといた、そしてもしかすると詩人たちによって示されたそれらの地名の一つひとつを地図のうえで確認したかもしれない、あのギリシアの島々を、わたしはあたかも眼下に拡げられた美しくて完璧な地図であるかのように目にしたのであった（図12）。それらの島々を見たのは、直線状のコリントス運河の上空を飛んだあと、はるか上空からアテネに挨拶をし、見分けのつかない家屋の連なりのうちに、どれがパルテノンの白亜の塊なのか見分けることもかなわなかった、そのあとのことであった。それぞれの島がトルコ石色（ターコイズ・ブルー）の海に囲まれ、その色はその縁の部分では岩緑青（マラカイト・グリーン）に暈かされていた。

　次々と並ぶそれらの島々は、アンドロス、ティノス、デロス、ミコノス、ナクソスそしてアモルゴスと、音の響きの高い名前をもち、かつてそれらの名はダヌンツィオの頌歌のエネルギーを生みだすようなリズムに役立ったのであった。しかしそれらの島々はまた、秋の紅葉した樫の葉の奇妙な輪郭にこそふさわしいようにも思われ、あちこちにわずかに泡沫の白い羽根を散らした鏡のような海面に吸盤で吸いつく、奇妙な昆虫のかたちにふさわしいようにも思われた。わたしは、さまようデロス島から、聖なる百牛犠牲（ヘカトンベ）の煙が立ちのぼるのを見なかった。われわれの下方にときおり現われる煙は、薄い雲の切れ端であり、そして海面上に並ぶ奇怪な形の島々は、不思議にも人の暮らしの徴を欠いており、同時にまた、赤みがかった巨大な昆虫や散りゆく秋の紅葉といったものの命を吹きこまれているように思われるのであった。ロードス島（図13）にだけは緑が見え、いくつかの白い家屋が見えた。そしてすぐに夕暮れとなり、いまだ紺碧をとどめた蒼穹の下に拡がる、紅の房飾りのような夕焼けから拡がる菫色の霞のなかに、すべてが渾然一体となってしまった。夕闇に沈むキプロス（図14）では、燃えさかる火事が一カ所見え、それはまるで紅の輝きを見せる小さな火鉢のようだった。

　すぐにわれわれはベイルートの空港に降りたった。そして客室乗務員に従ってまるで遊園地の建物のように光で飾りたてられた空港の建物に向かうあいだ、テラスの胸壁に沿って列をなして待っている群衆を目にして驚いた。読者諸氏はコンラッドの『青春』中の有名な一節をご記憶であろうか。コンラッドは夜に船をとあるオリエントの港の岸

図12——エーゲ海の古地図（部分）
ドラロシェットとウィリアム・フェイデンによる
ロンドン　一七九一年

図13——ロードス島の古地図
C・T・ニュートン『東方の旅と発見』第一巻
ロンドン　一八六五年

図14——キプロス島の古地図
ウィレム・ブラウとヨアン・ブラウによる
アムステルダム　一六九〇年頃

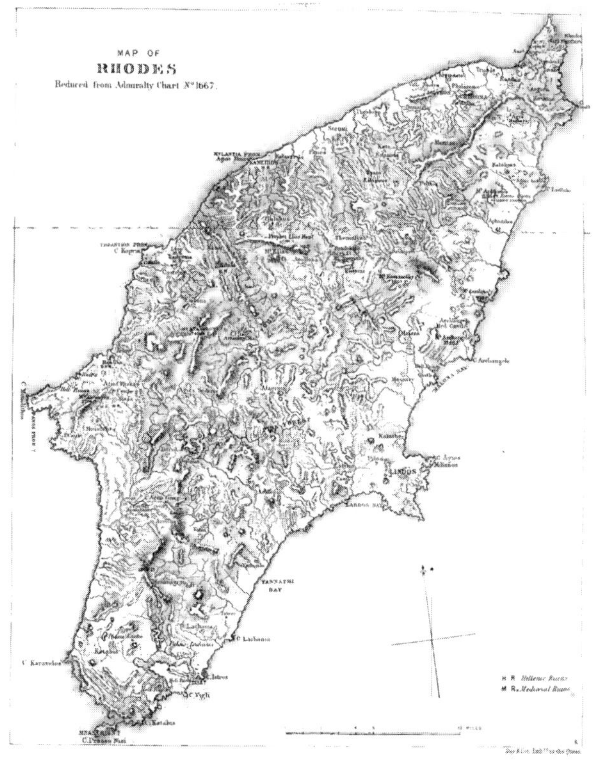
MAP OF
RHODES
Reduced from Admiralty Chart No 1667.
LINDOS
C. Lachania
C. Istros
C. Karavolos
C. Prasso Nisi
H. R. Hellenic Ruins
M. R. Mediaeval Ruins

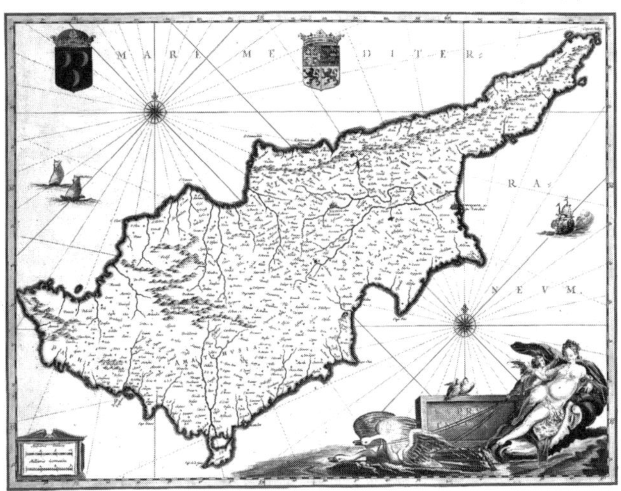
M A R E   M E   D I T E R
R A
N E V M.

壁に舫い、眠りに就く。そして朝、あふれる光のなかで眼を覚ますと、岸壁に並ぶ群衆に見つめられているのに気づくのであった。夜のあいだに海から着いた船の乗組員たちを、東方の人びとはじっと動かずに黙って見つめるのである。それは褐色、日焼けの色、黄色の顔の、そして黒い瞳と燦めくような東方の色彩にあふれた群衆であり、そして人びとの頭の上では棕櫚の葉がそよぐことなく天に向かって伸びているのであった。「これこそ古代の船乗りたちの東方であり、このように古く、このように神秘的で、輝かしくも暗黒で、活気に満ちて常に変わらず、危険と期待に満ちている……若き日に目にしたこの光景のなかに、おれにとっての東方のすべてが含まれている」。しかしながらベイルートの空港のテラスの胸壁に並んだ群衆は、ローマのテルミニ駅やイタリア南部のどこかの駅で出会う群衆とたいしてちがわないように思われ、そして税関吏たちは、世界中の兵士たちと同様のカーキ色の制服に身を包んでいた。

カーキ色の制服はパルミラの空港の警備兵たちも同様であった。パルミラの空港へはベイルートから一時間強で着いた。それはベイルート到着から二日後のことで、現代の世にありふれたことながら、ロバート・ウッドやドーキンスが負わねばならなかった労苦や危険とはまったく無縁であった。砂漠を通って地上からパルミラにたどりつくべきであったかもしれない。しかし空からの突然の到着にも不足はなかった。まだらに雪を戴くヘルモン山が支配するベカー高原の柔らかな暗褐色と緑色の碁盤のように区切られた上を飛行したのち、われわれはアンチレバノン山脈に達し、灰色と赤茶色の砂漠を眼下に見下ろした。

砂漠の眺めを中断するのはダマスカスのオアシスだけで、この町の旧市街の色彩、くすんだ灰色は、山脈と入り交じり、また町中では、やはり灰色の大モスクが目立っていた（図15）。そののち砂漠のなかに水面が現われたように思われ、しかしそれは一面に拡がる真っ白な砂の上に太陽がもたらした蜃気楼にすぎなかった。唯一の生命の痕跡は、ダマスカスからパルミラへといたる一本の直線道路であった。そして飛行機が着陸しようと高度を落としつつ翼を傾けたとき、さほど遠からぬところに巨大な円柱が立ち並んでいるのが目に飛びこんできた。円柱群はあたかもそれら

図15———ウマイヤ・モスク（ダマスカスの大モスク） 七一五年完成 ダマスカス

図16———パルミラの眺望（ISILによる破壊前）

の影の一角に隠れた支えの上で揺らめくようであった。それはまさしく見事なスペクタクル（図16）であった。
　それまでは飛行機のなかに閉じこめられていて、スクリーン上の立体映像（シネラマ）を見ている観客と似たりよったりの状態に満足していなければならなかったあなたは、ひとたび機外にとびだすと一瞬にして生命をとりもどし、純粋で焼けつくような空気を、砂漠の放つ野生のえもいわれぬ匂いを運ぶ空気を味わう。飛行機の轟音に麻痺した耳から空気を抜くように、ほかの五官も一瞬のうちに蓋を開けてとびだし、そしてあなたはもうひとつの別の世界に開かれていることを感じるのである。たしかに、あなたはウッドやドーキンスのように、何カ月もの巡礼の旅路の果てにようやくパルミラに到達したわけではない。しかしながらウッドたちは、数時間まえまで身を置いていた日常の環境のなかから夢の世界にいきなりとびこむような、今日のごく普通の旅行者の感覚を味わうことができたであろうか。距離の消滅は旅の詩情を減らしたのであろうか、それとも夢の魅惑により近しい別の異なる詩情にとってかわらせたのであろうか。

（一九五六年／金山弘昌）

パルミラ

パルミラの飛行場は、近代的な諸設備やエンジンの轟音を示唆するようなものはなにも備えていない。それは、低い囲い地の前に広がる、砂漠の一区画にすぎない。その囲い地は警備兵たちの宿舎として用いられている。われわれを宿屋へ連れていき、さらに翌朝には砂漠を横断してレバノンまで乗せるためにベイルートから派遣されるはずの二台の車が、まだ到着していなかった。そのためわれわれは水平線まで遮るもののないその砂漠のただなかに置き去りの状況で、唯一の道連れは、われわれにはわからない言葉を話す警備兵たちであった。囲い地のなかで待っているあいだ、その場には恐ろしげな雰囲気はまったくなかった。それというのも、やや見慣れぬとはいえ、カーキ色の軍服の兵士たちは、いささか日焼けしたイタリアの兵士たちと大したちがいはなかったからである。しかしこのシリアへの旅のあいだずっとわたしのかたわらにいたあの導きの霊（ダイモーン）は、今この時と古の時を絶えず比較するよう唆し、ダンテの『煉獄篇』の罪人たちに対して謎めいた警告の場面が示されたのと同様に、一世紀以上もまえにこの近辺で、とある旅行者の身のうえに起こったことをわたしに示してくれたのである。

レディ・ヘスター・スタンホープ（図1）は、英国首相ウィリアム・ピット［小ピット］の姪にして男性的でアマゾン族のような女性であったが、一八一三年にパルミラを訪問することを望んだ。それは考古学的な関心からではなく（それどころか、のちのアシュケロンでの徒労に終わった宝探しの発掘の最中、古代の彫像を発見した彼女は、当て外れの悔しさからその彫刻を粉々に砕かせたほどであった）、そのような旅が当時、いまだいかなる西欧女性も試みたことのない、大胆不敵な企てとみなされていたからであった。

レディ・ヘスター・スタンホープは、アラブ系遊牧民（ベドウィン）の一部族の保護を受け、彼らが砂漠での護衛を引き受けることになっていた。そのためにレディ・スタンホープは、われわれをパルミラに連れていったチャーター便の運賃が安上がりに思われるほどの高額の支払いをしたのであった。しかし、あるときベドウィンの護衛隊はこの冒険好きの貴婦人を悩ませることになる。彼らの敵対部族の攻撃が迫っており、その攻撃を避けるには、砂漠の危険を冒そうとするこの英国女性の護衛を放棄するしかないと、彼らはレディ・スタンホープに告げたのである。しかし、それは彼女の勇気を試すための策略であった。というのも、レディ・スタンホープの大胆不敵で強情な要請にもかかわらず、ベドウィンたちはいったん彼女を置き去りにする風を装い、襲撃の真似事をした。そしてこのピットの姪御が決然として彼ら襲撃者たちに立ち向かうや、彼らは歓喜の叫びをほとばしらせ、彼女の勇敢さを讃えるための祝砲を放ったのであった。

図1――《オリエントの衣装を身に纏うレディ・ヘスター・スタンホープ》

わたしはこのエピソードを伝えるキングレークの著作（『イオーセン』である）の黄ばんだページ（それはジョーン・

ハスリップによるやはり優れたレディ・スタンホープの伝記の同じ出来事を記したページよりもはるかに黄ばんでいた）を思い起こしつつ、シリア兵の一小隊に運命を委ねた状態で砂漠に置き去りにされたかにみえる、われわれ外国人の一行の状況についても同時に考えをめぐらせていた。しかし二台の車が到着し、この冒険のかすかな兆しも消え去った。その冒険すらもレディ・スタンホープの伝説的な輝きと比べればあまりに散文的で平凡なものにすぎなかったのであるが。

　われわれは窓のない低い家々が立ち並び、家々のあいだを不規則でゆきつく先の知れぬ道が縫うアラブ人の村を通り過ぎた。そしてそれらの侘しい壁が、粘土と驢馬の糞を一緒にしたものでできているのを知ったこと以上に、われわれの興味を引いたものはなかった。村は高台の下にまるで平伏するようにあり、高台の上には、オスマン・トルコ時代の城塞が堂々とまるで猛禽のように聳えていた（図2）。われわれは宿の簡素さをおおむね了解し、アラブの立派な宿を訪れたことを誇りに思うのであった。そして六月の太陽がすでに高く昇り、もはや暑さを感じるなか、われわれは目の前に広がる壮大で見事な都市に足を踏み入れたのである（図3・図4）。

　パルミラは、長い年月の後にようやく成熟し、花開く竜舌蘭の花のようである（図3・図4）。一体どれだけの世紀のあいだ、この地にはただ隊商（キャラヴァン）が通り過ぎるだけであったのか。というのも、荒涼たる地にあった硫黄泉の源泉のかたわらに神域と村が誕生し、やがて町となったのち、紀元前一世紀に突如として、途方もない発展とともに、一国の首都が生まれたのである。そして、パルティアとローマのあいだの緩衝と貿易の仲介に一役買うことになる。そのパルミラにはローマの産物とパルティアの商品、中国やインドの物産が一堂に会し、絹、宝石、真珠、香料が集まった。「肉桂（シナモン）の香り、パルミラの香油（ナルド）」、「古のパルミラの失われし宝玉やいずこ」［前半はアルフレッド・ド・ヴィニーの、後半はボードレールからの引用］。パルミラは東方の経済的な中心都市となり、紀元三世紀という衰弱の時期を迎えたローマ帝国の弱体化と無政府状態を利用しながら、女王ゼノビアの治下、ナイル河からユーフラテス河へいたる広大な領域に版図を拡大したのである。この砂漠のなかで、まるで導火線で爆発するかのように突如開花しすぐに消え去る竜

図2――パルミラ（タドモル）城
創建は一三世紀の
マムルーク朝時代に遡る。
図3――パルミラ　記念門と列柱
図4――パルミラ　列柱
図5――パルミラ　ローマ劇場

舌蘭の花のごとく、ごく短いあいだに勃興した大帝国の名声は、もしもこの場所の孤立性、乾燥した大気、ほかのいかなる人口密集地からも隔たった距離、遊牧民(ベドウィン)の原始的な粗野さというものが、これらの壮麗な列柱をある程度まで崩壊と略奪から保護しなかったとするならば、そのパルミラを論じる者とともに、おそらくは消え去ってしまっていたことであろう。

これらの壮麗な列柱（図3・4）は、高く聳える神殿へとわれわれを導く。そこはもはや仕える神官が絶え果てたとはいえ、まるで手つかずのままに残された舞台装置のようであり、だしぬけに『アイーダ』さながらの色とりどりの衣装をまとった合唱隊（図5）が姿を現わすかもしれないのである。パルミラの舞台装置は、その最盛期においても、決して洗練されたものではなかったはずである。それは装飾をほどこされたコリント式の円柱や、裕福な商人たちの彫像を支えるために円柱の柱身にとりつけられた無数の持ち送りをともなっていた（図4）。彼ら商人たちの多くはローマの貴族階級に加わることを許されており、セム族系の名前にローマの貴族名を加えていたのである。パルミラの舞台装置はむしろ色彩に満ちており、けたたましい響きや、強烈な燦めきに満ちていた。パルミラは、ナポレオンの帝国同様、ほとんど即興的につくられた帝国なのである。

パルミラのナポレオンは女性であった。そして堂々たる遺跡に加え、この女性のおかげで、この都市の名はとても詩的な響きを帯びることになった。女性の名はゼノビア。一体女王ゼノビアの物語を知らない者などいるのであろうか。ローマ史を勉強しようとする小学生のうち、戦いに破れて囚われの身となり、宝石を縫いこんだ衣装を着込み、黄金の手鎖を掛けられて、ローマ皇帝アウレリアヌスの凱旋行列の前をしずしずと歩む女王のイメージから空想を刺激されなかった生徒などいるのであろうか。アウレリアヌス帝は四頭の鹿の牽く馬車に座り、七〇頭の象と二〇〇頭の虎や猛獣たち、そしてパルミラからの略奪品を運ぶ八〇〇名の剣闘士たちが行列に加わっていた（図6 - 1・2）。

そして、ゼノビアは、男勝りの剛胆な女傑とはいえ、美しく魅惑的で大胆不敵、貞潔であり（女王は世継ぎをもうけるため以外には愛を交わさなかった）、包囲された首都からの脱出とユーフラテス渡河において英雄的な精力を証明したのち、渡河中にローマ軍団兵たちに捕らえられたのであった。ローマに連行される屈辱の旅のあいだ、ゼノビアは幾度も気絶し、崩折れた。そののちおそらくは牢獄のなかで飢え死にするにまかせられたか、さもなければ、幾人かが主張するように、再婚してティヴォリの別荘で生涯を終えた。ティヴォリでは、夕方の西風が砂漠の活き活きとした風を彼女に思いださせたかもしれない。

　豪華絢爛で扇情的、しかも悲壮な物語であり、いかにもヴェルディが歌劇に仕立てそうである。さらに加えて、レディ・スタンホープの凱旋をあつかった歌劇の台本も考えられそうである。この貴婦人はこのパルミラの地で一八一三年三月に、ある程度はその勇敢さによって、そしてたしかにある程度は気前のよい支払いによってアラブ人たちの喝采を勝ちえたのである。そのときのレディ・スタンホープは、英国でとある心を病んだ占い師から予言されていたとおりのエルサレムの女王でこそなかったものの、まさしく蘇った女王ゼノビアであったのである。レディ・スタンホープがこのうち捨てられた首都にはじめて足を踏み入れた英国女性であったことはまちがいない。彼女は、人口一五〇〇人のアラブ人の村のなかから選ばれた最も美しい少女たち（しかしそんなに多くの美女たちがいたのであろうか）とともに、円柱の持ち送りによじ登り、そこから垂れ下がるように花綱を飾りつけたのであった。そのあいだ、髭をたくわえた古老たちは彼女の名誉を讃えた賛歌を詠唱し、若者たちはアラブの楽器で奇妙かつ単調な調べを奏でていたのである。

　時は装飾の角（かど）を削って丸くし、薔薇色がかった白の石灰岩でできた円柱に古色を帯びさせ、そしてありし日のこの帝国にあったであろう、過酷で田舎じみたものの上に詩情のヴェールを垂らして和らげている。ヴォルネイ伯爵は、この遺跡に想を得て、エドワード・ヤングの『夜想〔嘆き、あるいは生と死と永生についての夜想詩〕』の誇張趣味をもって、当時はたいへん有名であった随想を執筆した〔『遺跡、あるいは諸帝国の転変についての瞑想録』〕。ヴォルネイのあとを継いだのはトーマス・ラヴ・ピーコックで、彼はピンダロス風の若々しい頌歌（オード）、「パルミラ」を詠んだ。そしてこの都の名のフランス語読みの「パルミール」は、異国情緒の示唆に富んだ節回し（カデンツァ）として、アルフレッド・ド・ヴィニーや

図6・1──ジャンバッティスタ・ティエポロ
《皇帝アウレリアヌスの凱旋》
一七一八年頃
トリノ　サバウダ美術館

図6・2──ハーバート・シュマルツ
《パルミラに別れの
一瞥を与えるゼノビア》
一八八八年　アデレード
南オーストラリア美術館

図7———パルミラの三位神の像　一世紀
左から、月神アグリボール　主神バールシャミン　太陽神マラクベール
パリ　ルーヴル美術館

図8———パルミラの眺望

図9———パルミラ　記念門（凱旋門）

図10———パルミラの夕景

ボードレールの詩句のなかにもとどまることになる。パルミラの消え去った芳香、失われた宝石、というわけである。ヴォルネイの扱う主題は教訓的で荘厳であり、それは説教壇向きの饒舌な荘厳さとでもいうべきものである。その主題とはつまり、人の世の偉大さの没落、この世界のなかで人が置かれた状態、社会の悪の起源、さまざまな宗教的観念の蔓延などである。

パルミラは商品の集積地であるのと同様、神々の集積地でもあった。ベル神殿の神室(ケッラ)の天井の格間(ごうま)に刻まれた文字からは、ベル［バール］、ヤルヒボール、アグリボールといった、パルミラ、パルティア、バビロニア、シリア、ギリシア、アラブなど、それぞれ異なる地に由来する神々や精霊たちの存在をかいま見ることができる（図7）。時はそれらの格間を薄暗く、緑がかった色に見せ、より濃い薔薇色と金色を円柱に与えた。遙かな過去から現代へ残されたものは、ヴォルネイにとっての訓戒にとどまらず、むしろ色彩である。それはとりわけ眼に悦びをもたらす。パルミラの文明は色彩において純化され、ほんの短い期間、砂漠にもうひとつ別の色を加えるためだけに、砂漠を飼い慣らした。不毛な丘に囲まれた貝殻のような盆地に、この真珠のような都市が置かれたのである（図8）。

夕刻、葡萄紋様の装飾がほどされた、ルネサンス様式の扉口のような凱旋門の傍らに、われわれは長いこととどまっていた（図9）。グランド・キャニオンも同じ色彩をもっているが、このコロラド渓谷の人間離れした眺望がやがてわれわれを飽きさせるのに対し、この都市の骸骨の上に色を添えたり薄めたりする光と影の変化は、決して飽きさせることがないであろう。というのもパルミラの色彩には、ある差異がある。そしてその差異が人間によって与えられたものであるからだ。この風景は歴史に満ちており、その存在と重みを感じとるのに、細部を調べる必要などないのである。農民たちは、棕櫚とオリーブの生えたオアシスの辺(ほとり)の村へ帰ろうとしていた。馬に跨がるスカート姿の陰気な人物、たくさん着込んだ徒歩の人物、男性や女性、形容しがたい古着をまとった不格好な人びと、そんな人びとが、われわれの前を通りしなに、挨拶の声をかけてくれた。彼らはみな砂埃の小さな雲をまとって帰り道を急ぎ、小さく優美な鼻先をもつ黒い山羊を引き連れていた。一瞬のうちに空の色は濃い紺碧に変じ、円柱やエンタブラチュア、崩れ落ちた壁は、黄金色に燃えあがるのであった。その色彩の輝きは、歴史がはるか遠くで奏でるファンファーレにほかならない（図10）。

塔状の墓のなか、左右相称に並ぶ棚に横たえられたパルミラの古代の住人たちにわれわれは思いをめぐらせた（図11・図12）。墓室の様子は、まるで桟敷席が多くの層をなす、沈黙につつまれた小さな劇場のようであった。うねるような優雅な字体で刻まれた彼らの墓碑銘にわれわれは思いを寄せた。というのも、パルミラでもっとも印象的だったのは、おそらく「墓の谷」だからである（図13）。そこを訪れたのは午後のことであった。エラベールの塔墓の狭い階段を登ったが、それはまさしく死者たちの小さな劇場の天井桟敷に登るかのようであった。これらの墓にはかつてミイラがあり、それらにはエジプトの方法で防腐処理がほどこされていた。

そのひとつを古代の都の遺品として持ち去ることを望んでいたウッドとドーキンスに対し、アラブ人たちが証言したところによれば、それらのミイラがなにか高価な物を身につけているのではないかという期待のもと、すべてが略奪されてしまったというのである。結局イギリス人たちは、この遺跡の壮大な記念碑群の記憶として、今日なおアラブの女性のあいだで見られるのと同様の髪型に結いあげられた、ある女性の遺髪を持ち帰るだけで満足しなければならなかった。現在これらの墓にはいくつかの横臥像が残るだけで、それらの彫像は、粗く彫られた衣文のある外衣を身にまとい、花綱にとりまかれた円筒形の壮麗なかぶりものをいただき、くっきりと彫りの深い顔立ちにアーモンド形の眼をしている（図14）。

しかしそれぞれの墓が驚きに満ちているとすれば、オスマン・トルコの城塞の入口に立って高みから見下ろす場合、それらの墓が列をなす様子は一層驚異的である。いくつもの塔墓は、むきだしの谷間から聳えている。その谷は、風が絶えず軽石を用いるかのように撫でて磨いているため、まるで鹿革のように平滑でなだらかである。荘厳で赤みがかったそれらの塔墓は、堅固で荒々しい岩肌の山脈に向かって、ゆっくりと建ちあがるのである。それらの塔は、まるで冥府（ディース）の神の都市の前哨地点のようである。奇妙なことに、これらの墳墓は風景全体のなかでおそらくもっとも活

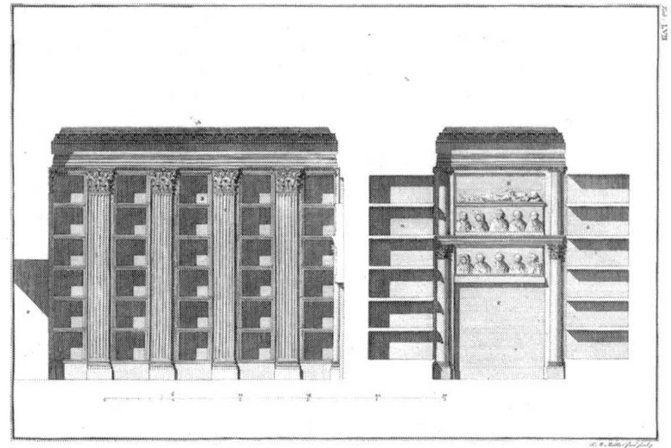

図11――「図57　同じ墓［エラベールの塔墓］の二階内部　正面と側面」
ロバート・ウッド『パルミラの古代遺跡、あるいは砂漠のなかのタドモル』ロンドン　一七五三年

図12――「図56　同じ墓［エラベールの塔墓］の立面」
ロバート・ウッド『パルミラの古代遺跡、あるいは砂漠のなかのタドモル』ｓロンドン　一七五三年

図13――パルミラの「墓の谷」

図14――《ヤルハイの地下墓室》一〇八年頃　ダマスカス　国立博物館

図15――《女性の胸像（パルミラの埋葬レリーフ）》一五〇～二〇〇年頃　ロンドン　大英博物館

気づいた部分であり、より下方の砂漠に遺物を撒き散らす都市そのものの遺骸と比べてより活き活きとして見え、意志や思考を与えられているかのように思われる。そしてそもそもそうでないはずなどないのである。なぜなら、いまやこの都市のすべての住人たちは墓に移住しているわけであり、彼らはそこでまるで宴席に連なるかのように、東洋風の刺繍をほどした輝かしい衣装に身を包み、また婦人たちは宝石を飾り立てた姿で、常に横臥しているわけだからである（図15）。

日が沈むと、涼しい風が吹いた。「長い息、平野の夜の吐息」とラマルティーヌが、瞑想詩『砂漠、あるいは神の非物質性について』のなかで詠っている。夜、宿屋の前に座ってこの涼しい風に一息つくのは、まるでなにかの秘薬に陶酔するかのようであった。夜の闇にはときどき流れ星のような光の筋が刻まれた。しかしそのような光が一体なにを意味するかについて、あなたは考えがおよばないであろう。実のところ、それらは単に車のライトだったのである。夜のあいだ、風は強まっていった。風は音を立てて円柱の間を吹き抜け、円柱を竪琴の弦のように扱い、むきだしの斜面を滑り降りていた。風は死者の塵と灰を宙に吹きあげ、歴史を吹き散らし、大地を清めているかのようであった。

翌朝、われわれはパルミラから遠ざかりつつ、ふたたび「墓の谷」を通過した。そして最後の遺跡が見えなくなり、一面の砂漠のなかに入ったとき、われわれは自問自答するのであった。あの長々と続く列柱や塔が林立する眺めは、ひょっとして単なる蜃気楼であったのではないか、と。

（一九五六年／金山弘昌）

バールベック巡礼

長年の共生はお互いを似させる。言葉遣いや声の抑揚、そして仕草にかぎらず、外見においてさえ似てくるのである。駱駝が遊牧民(ベドウィン)に似たのか、それともむしろ遊牧民(ベドウィン)が駱駝に似たのか、わたしにはわからない。しかし彼らが家族のような雰囲気をもっていることはたしかで、一方はぼろきれのような毛の房で覆われ、もう一方はもはや布としての価値を失い、身体を覆う産毛の生えたほぐれた疣のようななにかに変わり果てたぼろきれで身体を覆っている。荒んだ精神が、スタニズラオ・レプリの絵画における大きな裂け目やデフォルメを産みだしているのと同様に、荒涼たる自然がこれらの子供たちを産みだしたのである。

パルミラをあとにしたのち、そして泉のほとりにポプラの生えた最後の小さなオアシスと、小さな隊(キャラヴァン)商停泊地の黄土色で低い粗削りの壁を通り過ぎたのち、われわれはぼろぼろの黒い天幕に出会うまで、いかなる生命の兆候にもでくわさなかった。その天幕は開いた傘ほどの大きさで、われわれの二台の車が進む獣道のような山道からさほど遠くないところにあった。道に刻まれた轍はひとつではなく、時にふたつとなり、またひとつに合流し、まるでまちがってつけられ不明瞭になってしまったズボンの折り目のようであった。「あの天幕の下で、アラブ人が一夜を過ごしている」と、われわれの一人が言った。「しかし隊(キャラヴァン)商にはまったく出会いそうもないが」。運転手は、現代の砂漠においては、駱駝よりも自動車に出会う方がよほど多いのだとわれわれに信じさせたがっているように思われた。そのとき、われわれは最初の駱駝の隊列を遠くに見た。それはまるで命を吹きこまれ動きだしたばかりのフリーズ装飾のようであった。

次いで、われわれは遊牧民のキャンプ地に到着した（図1）。そこでもっとも人間的な生きものは、頭だけが黒く、あとは輝くように白い羊たちであった。絵のような風景を愛するあまり、われわれの一人はこの遊牧民（ベドウィン）の集団を撮影した。われわれは彼らと混じりあい（神よ、われらを許し給え）、パルミラの宿で買ったアラブの男性用かぶり布（クーフィーヤ）を頭にかぶったほどである。「クーフィーヤ」というのは、暑さや蚊を避けるのに有効ではあるが、たしかに美しいかぶりものではなく、その名のもととなったと思しいイタリアの頭巾（クッフィア）よりも美しいものではない。

遊牧民（ベドウィン）たちがまとう長衣（トーブ）もまた、実用的な理由にもとづいており、それはこの長衣と乗馬ズボンを組みあわせたドゥルーズ派の人びとの奇妙な服装の場合と同様なのである。しかしながらこれらの衣装もまた、わたしには美しいものには思われなかった。さらにアラブ人がその長衣の上に西欧のジャケットをはおり、黒めがねをかけた姿は、男性が考えつくかぎりの最悪の組みあわせ方にほかならないとわたしは信じている。わたしは羊飼いたちが遊牧民風の衣装で表わされた写実的なプレゼピオ（クリスマスの人形飾り）が大嫌いであるし、アラブ人たちの民族的な着こなしになにひとつエレガントなものは見いだすことができない。あの布きれの野暮な塊のなかにさえ、ひとつの型や様式というものを見いだすことができるならばなおさらである。

われわれの一行のうちのもっとも若いメンバーが、この町の街頭にいる人びとを撮影したとき、驚いたことに、警官たちが撮影を止めさせ、フィルムを没収した。そしてわたしはホムスの警官たちの言い分に正当性を認めることができなかった。警官たちは、問題のない対象を撮影したフィルムについては返却を約束し、数日後にそれは実行された。撮影してはいけない対象こそ、当然ながら、われらの一行の若者が求めていたもの、すなわち人びとの風俗であり、汚れた古着を着込み、絵のよう（ピクチャレスク）で色彩豊かな人びとの姿や、小屋やあばら屋であった。一方撮影してもよい対象とは、警察によれば、たとえば近代的な住宅や、さもなければ、なんとも信じがたいことに、ほかのどの国の警察とも同様

図1——遊牧民（ベドウィン）と羊　一九五〇年代　シリア

図2——シリアのドーム形民家

の制服に身を包んだ警官たちの姿なのであった。

とはいえ、われわれの国においても、ファシスト体制下においては、警察は外国人の撮影者たちに対して同じ方法で対処したわけであるし、またエミリオ・チェッキの著書『苦いアメリカ』が、黒人に対する私刑（リンチ）やギャングたちの皆殺しの写真によって、多くのアメリカ人たちを憤激させたことも周知のことであろう。わたしにとり、この土地固有の色彩の喪失以上に嘆かわしいことはなく、それはわれわれの標準化された現代文明の欠陥のひとつにほかならない。しかし貧困や不潔さのうちに地方の特色を見いだすことは、ちょうどいく人かのシュルレアリスムの画家たちが、アトリエのシャンデリアにわざと埃だらけの蜘蛛の巣をはらせているのと同様に、わたしには怪しげな趣味を洗練しただけであるように思われるのである。

われわれは有刺鉄線で囲われた製油所の前を通過し、円錐形の小屋（図2）と低い石垣が特徴的な生気に乏しい村々に出会った。それらの家屋や石垣はまるで大地に生じた泡や腫れもののようであった。われわれはさらに、いくつかの家畜の群れと吠えたてる犬たち、そして小さな驢馬に荷を載せた隊商（キャラヴァン）と石油のパイプラインに出会った。しかしそれらのなかでただひとつ美しかったのは、砂地のあちらこちらから生えでた朝鮮薊の菫色の花々であった。そのあとは道路がより明確となり、道の両側には小麦畑が拡がって、水平線にはレバノン山脈の雪に覆われた頂が輪郭を浮かびあがらせていた。

そして、かつては旅人たちが何日もかけて渡っていた砂漠をわれわれはわずか数時間で通過し、その短いあいだだけ、砂漠はわれわれの眼前にその壮大で単調な情景を見せたのであった。われわれは砂漠を一歩一歩の労苦で踏み越えたわけではなく、その砂とわれわれの汗を混ぜあわせることもなければ、砂漠がわれわれの一部となることもなかった。われわれは砂漠を苦痛なしに排除してしまい、ゆえに砂漠はわれわれの記憶のうちに弱々しい痕跡しか残さない。そしてこれは現代においてそのほかの多くの事柄に生じるのと同様のことなのである。

しかしながら、ホムスの町の第一印象はより活き活きとしたものであった（図3）。それは幌をあげた一台の二頭立て四輪馬車（ヴィクトリア）であった。羽根飾りをつけた二頭の黒馬が馬車を牽いていた。裸足の御者は、襤褸切れをターバンのように頭に巻きつけていた。そして馬車灯のひとつには赤い羽根が飾られていた。その赤色は大黄のような赤色で、村々で売られる飴玉の色であった。小さな馬は元気一杯で、馬車はあまりにも古めかしく、マリアーノ・フォルチュニを想起させると同時に、皇帝アブデュル＝ハミト二世の時代にまで遡るのはたしかであると思われた。

われわれの一人が、空腹を満たそうと、素朴な甘いお菓子をひとつ買った。それは二層のパルハ〔「パルハ・イタリアーナ」という名のブラジルの菓子〕に似たものに挟まれた茶色と緑色（おそらくピスタチオであろう）からなるサンドウイッチのようなものであったが、わたしはそれを食べ損ねた。われわれはほかにも多くの乗りものを目にした。それらは古めかしい警笛をならして通行人の注意をうながすのが常であった。市場（スーク）では（図4）、鮮やかな色彩の飴を売る多くの荷車や、冷たい飲みもの（茶色、黄色、オレンジ色の三種類であった）の売店を見た。そこでは強い日差しに氷が溶け、ドゥルーズ派の女性や少女たちは派手な古着を着込み、その衣装の下からは、赤や黄色、紫色のズボンが覗いていた。彼女らは肩に壷を担い、あるいは手に鎌状の短剣をもっていた。彼女らの肌は皺だらけで垢じみており、一方で靴磨きたちのもつ真鍮の箱は輝くばかりに磨かれていた。西欧風の衣装にわざわざ身を押しこんだ群衆たちの上には、世界中のいたるところと同様に、ラジオが下品な音を注ぎかけていた。ラジオから流れる歌は、この地方特有の悲しげな調子を帯びていた。わたしはこのホムスで、モスクにはじめて入った（図5）。純白の尖頭アーチ、カーネーションの花壇に似た絨毯、男性たち（わたしは男性しか目にしなかった）が祈りに集中するさま、それはひたすら清涼さと清潔さの印象に満ちあふれており、そのような印象をわたしは、この滅び去ったオスマン帝国の色彩豊かなまどろみから目覚めてまだまもないはずの都市から受けたのである。

ホムスを去ったのち、われわれは不毛な高原を進んだ。ホムス湖は硫黄成分のため薄緑色をしていた。ふたたび羊飼いたちの丈の低い黒い天幕と羊の群れ、そして駱駝を見た。天には翼の端だけが黒い白鷺が滞空していた。レバノン山脈は斑に雪化粧していた。

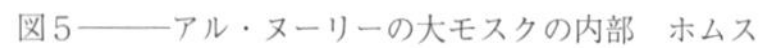
図3———ホムスの市街　殉教者広場と「旧時計」

図5———アル・ヌーリーの大モスクの内部　ホムス

図4——ホムスの市場（スーク）

この山脈はバールベックの風景を支配している（図6）。しかしそれは、神殿群をとりまくポプラや胡桃、桑の並木や生け垣を額縁として、観光地の景観として理想の背景のなかにおとなしく収まっている。バールベックは、タオルミナと同様に、古代地中海世界の理想的な風景の典型となっており、いずれの場所も、ニーチェ的な超人の副産物としての皇帝ヴィルヘルム二世が瞑想にふけるため長期間滞在したという事実は、驚くべきことではない。ホテルは三つの尖頭アーチ形の窓を備えており、その食堂は、物静かな年老いた英国婦人たちこそいなかったとはいえ、ヴィクトリア女王の時代をわれわれに想起させた（もっとも尖頭アーチ形の窓はレバノン地方の家屋に典型的なものなのであるが）。そのホテルからわれわれを連れだした饒舌なギリシア人の旅行ガイドは、古代ローマ人がこの神域の石積みに用いた三つ石（トリリトン）と呼ばれる巨大な石材（図7）の発掘を、どのようにしてヴィルヘルム二世がスルタンに提供したかについて説明してくれた。現代人は、これらの巨大な石材の寸法や重量を明らかにすることは可能であるが、それでもなお当時これらの石材をもちあげて組みあげた工法には驚くにちがいない。石材は継ぎ目にナイフの刃一枚挟めないほどぴったりと積みあげられているのである。

またポリーフィロに倣って、神殿群の優美な装飾について詳細を記述することもできるであろう（図8）。たとえば、ユピテル神殿のフリーズには、獅子と牛の像を交互に載せたアカンサスの葉をかたどった持ち送りが見られ、それらの獅子と牛の背には、葉と果実からなる花綱装飾が掛けわたされている（図9）。そしてこのフリーズの上には、順番に、組紐飾り、歯飾り、卵鏃（らんぞく）飾り、そして水平方向に逆向きにされた軒持ち送りが載り、さらにその上には軒蛇腹（コーニス）（図10）が突きだして載っており、その軒蛇腹（コーニス）自体はギリシア雷文（メアンダー）のほどこされたフリーズとパルメット文のあるシーマ［波繰形、断面がS字曲線を描く繰形（くりがた）］からなっており、シーマのパルメット文の合間には獅子の頭部がおかれている。しかしながらこのように次々と詳細を述べていくと（記述は何ページにもおよぶことになる）、読者はかえって全体を見失ってしまうにちがいない。英語の諺にあるように、木を見て森を見ず、というわけである。「ヴォルネイとラマルティーヌ以降、これらの壮大な遺跡についてより詳しく記述できる者はいないであろう」という、ジェラール・ド・

ネルヴァルの確言のとおり、この場所のイメージを、ラマルティーヌによるロマン主義的な無秩序をはらんだ文章以上にみごとに伝えることができるものはないであろう。

われわれの眼はとどまるべきところを知らなかった。いたるところに、驚異的な高さと幅をもった大理石の扉口が、感嘆すべき彫刻群で縁取りされた窓や壁龕が、洗練された装飾で覆われた穹窿（ヴォールト）があった。軒蛇腹やシーマ、あるいは柱頭の断片がわれわれの足下にまるで塵芥のように拡がり、われわれの頭上には格間（ごうま）があった。すべてが神秘的で、混乱し、無秩序で、美術の傑作であり、時の遺物であり、説明しがたい驚異であり、それらがわれわれを取り巻いていた。……

同じ調子でモーリス・バレスは次のように述べている。

輝かしい倒壊物の混沌、花崗岩と大理石の無限の拡がり、すべてはまるで円柱、柱頭、アーキトレーヴと渦巻き装飾の拡がる大海のようであった。それはとある神が消滅したあとの、観念なき放蕩である。しかしこの災厄の証拠は、一体なんと壮大なのであろうか。……アンティレバノン山脈の上、この地に光で目も眩むような輪郭を示すのは、この世でもっとも偉大な祈りのひとつなのである。

ともあれ、わたしには次のことはたしかであるように思われる。すなわち、バールベックから受ける印象は、聖なるものはほとんどなく、むしろ富と豪奢についてのものが多いということである。バレスはバールベックのことを「強力な行政機構」と呼んでいる。実際それは、神のための祭の舞台ではなく、皇帝のための祭の舞台であった。それはいわば「ナポレオンの戴冠式（サクル）」の先駆けであった。おそらく、それゆえにヴィルヘルム二世を大いに悦ばせたのであ

図6――バールベックの遺跡と背後のレバノン山脈
図7――ユピテル神殿基礎部分の「三つ石（トリリトン）」　バールベック
図8――ユピテル神殿のコリント式列柱とエンタブラチュア　バールベック
図9――ユピテル神殿のエンタブラチュア（フリーズを含む）の拡大
図10――ユピテル神殿の軒蛇腹（コーニス）　エンタブラチュアの最上部

ろう。紀元二世紀の小さな円形神殿［ウェヌス神殿］（図11）についてはそのバロック性が指摘されている。この神殿は六本のコリント式円柱で囲まれているが、その列柱上のエンタブラチュアは五つの半円状の凹みのある平面をしており、完全にボッロミーニ風の外観を示している。

しかしながらユピテル神殿（図8）とバッコス神殿（図12）については、むしろペルシエとフォンテーヌの帝政様式（アンピール）を想起させる。彼ら二人のフランス人建築家たちがエジプトとヘレニズムの要素を組みあわせる何世紀も以前に、その様式はバールベックの建築家たちによってすでに発見されていたのである。その様式においては、どっしりとした量塊感と洗練が同盟を結び、記念碑性と上品さが、巨大さと細部までゆきとどいた優美さが手をとりあっている。神殿入口の脇に聳える四角い平面の堅固な塔はエジプト神殿の入口に聳える塔を想起させるし（図13）、円柱が立ち並ぶ中庭はギリシアの伝統を引いており、装飾の豊富さはペルシアの太守の東方的な性格を示している。バールベックの神殿は、おそらくローマの神殿には決して見られないが、巨大な格天井（ごう）の下に壁龕と無数の彫像で飾られた壁のある巨大な部屋をもつローマの公衆浴場に見られたはずの絢爛豪華さを備えている（図14）。ヴィチェンツァのテアトロ・オリンピコ（図15）は、ありし日の完全な姿のバッコス神殿の内部のおぼろげなイメージを与えてくれるかもしれない。この神殿の内部（図14）には、屋根は失われたもののいまだに黄褐色の円柱や空っぽの壁龕がかなり残されており、われわれが空想を過度に働かせることなしに、かつての圧倒的な豪奢を再び味わうことを可能にしてくれる。

神殿の入念に仕上げられた細部には、粗野なもの、田舎じみたものはまったくない。柱頭（そのひとつは全体が欠けることなく残っており、それはおそらく古代全体を通して唯一の作例である）、フリーズ、葉や動物を象った飾り、格間（ごうま）の六角形のパネルに収められた薔薇文や神々の胸像、それらはルネサンスの作品にふさわしいとさえ言えるほどの巧みな仕上げと精細さをもって制作されている（図16）。そしてそれはまた、帝政（アンピール）様式の作品にふさわしいとも言えるはずである（ある人たちが新古典主義の細部や規則への機械的なこだわりについて指摘しているとはいえ）。

図11——ウェヌス神殿　一九世紀末から二〇世紀初頭の写真　バールベック

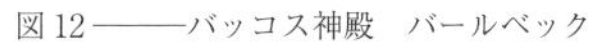

図12——バッコス神殿　バールベック

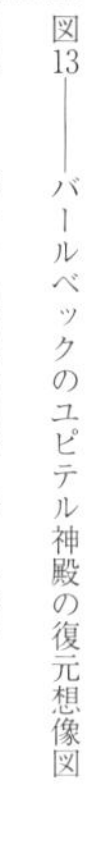

図13——バールベックのユピテル神殿の復元想像図

図14——バッコス神殿の内部　バールベック

図15——アンドレア・パッラーディオとヴィンチェンツォ・スカモッツィ　テアトロ・オリンピコ　一五八〇～八五年　ヴィチェンツァ

図16——バッコス神殿のコリント式円柱と柱頭

要するに、このバールベックの帝政期の傑作（ユピテル神殿はネロ帝の時代のもので、バッコス神殿はおよその一世紀後のものである）は、そのうちに、長い伝統のさまざまな特徴を併せもち、さらに未来における復興後の発展をも先取りしているのである。つまりそれは、独自の方法で成りたつ、あるひとつの様式の交差点であり、中心なのである。すなわちそれは、単純さ、力強さ、平滑な表面と装飾が密集した表面のコントラスト、縦溝装飾のある円柱と平滑な円柱、黄金と石材からなる様式であり、それはアテナイとローマが語り、やがてはパリとサンクトペテルブルクが語ることになる様式なのである。そう、ここ、遙かなるレバノン山脈が永久に涼風の祝福を送り続ける、バールベックのオアシスの緑に囲まれて、黄褐色の神殿群の立ち並ぶこの神域には、すでにすべてが存在しているのである。

（一九五六年／金山弘昌）

騎士の城

マリア・ルイーザは、レバノン杉を眺めることを本当に楽しみにしていたらしい。かつてフェニキアの船団に材木を供給したレバノン杉は、今日では、堂々たる古強者の僅かな小部隊となって、山々に設けられたウィンタースポーツの拠点でもある近代的なホテルの周りに「聖なる森」を形成するのみとなっている（図1）。そこでわたしたちは彼女を次のように説得しなければならなかった。聖なる森にあるのと同様のレバノン杉は、たとえ丈が三〇メートルで幹の周囲が一五メートルという巨木ではないにせよ、いくつかの植物園でも見ることができる、そしてまた、近代的なホテルのそばで聖書やホメロスの時代を思い起こすことは容易ではないであろう、とも。そしてまた次のようにも説得した。その名前の響きすら険しく破滅を予感させる、クラック・デ・シュヴァリエ（騎士の城［図2］）という要塞を訪れるほうが、より冒険とロマンに満ちた、そして――その小旅行は周遊旅行（クルージング）の一部であるとはいえ――奇抜な体験となるにちがいないであろう、と。

かくしてわれわれは早朝にベイルートを発った。それはまるでフレジェネにハイキングにいくためにローマのパリオーネ地区を出発するのと同じありさまであった。というのも、この近代的な都市の多くの街頭は、世界中のどの都市のいずれの近代的な街区の街頭とも近しい雰囲気をもっているからである。その親しみやすい雰囲気は、いたるところに咲き、深紅や青紫色の垣根となっているブーゲンビリアやジャカランダのせいというわけでもないであろう。

図1———レバノン杉の森

図2———騎士の城（クラック・デ・シュヴァリエ［カラート・アル・ホスン］）　一一四二年〜一三世紀前半　シリア

図3———ナールエルカルブの記念石碑（ステラエ）　エジプト王ラムセス二世の碑（左）とアッシリア王エサルハドンの碑（右）　レバノン

図4———ナールエルカルブの記念石碑（ステラエ）　フランス皇帝ナポレオン三世の碑

　ベイルートの近郊地区は、そのみすぼらしさがぞんざいに剪定されやせ細ったユーカリの木によって強調されているのだが、その郊外のいりくんだ狭い道を抜けると、われわれはナールエルカルブ（「犬の川」という意味）でしばし立ち止まり、近代的で巨大な高速道路の工事現場を眺めた。この高速道路は、沿岸の平野をこの地点で分断する山脈の突出部において、唯一通行可能となっている狭い地峡部分を活かして建設されることになっていた。この地峡部分には、古代におけるすべての侵略者たち——エジプト人、アッシリア人、ギリシア人、ローマ人、アラブ人——が、灰緑色の岩肌に直に刻まれた銘文や石碑によって自分たちの記録を残している（図3）。

　そして、近代の侵入者たちもそれに倣い、それは一八六〇年にキリスト教徒を虐殺していたドゥルーズ派に圧力を加えるべくやってきたナポレオン三世の軍隊に始まり、われわれの世紀の各国軍隊、すなわち一九一八年のイギリス軍、一九二〇年のフランス軍へとおよぶ。そして最後の銘文は一九四七年一月のもので、そこには一九四六年一二月三一日をもってすべての外国軍隊がレバノンを去ったと記されている。文字がいかにも一九世紀的な調和のとれた間隔で並ぶナポレオン三世の石碑（図4）の前には、蔓棚（パーゴラ）の下に小さなトルコ・コーヒーの店が開いていた。さらに青々とした葦原のあいだを流れる小川があり、その上にはローマ時代の小さな橋が架かっていた（図5）。それは「ルッカ近郊の」バーニ・ディ・ルッカの景観を思わせた。

　われわれは色褪せた紙の旗で飾られた満艦飾の村々を通過した。この飾りはマリア「マルヤム」の月を祝うためのもので、聖母の祭とはいっても、イスラム教の祭なのである。これらの村々を通過するのに数時間かけ、夕方にビブロスに着いた。ビブロスの町は立麝香草（タイム）の香りに満ち、青白い立葵（マルヴァローザ）が咲き誇り、十字軍の築いた四角い城（図6）は黄金色であった。御柳（ぎょりゅう）と夾竹桃のなかに古代ローマの円柱が聳えていて（図7）、深い墓坑があり、その壁には古代の銘文がまだ判読でき、大理石と花崗岩でできた重厚な石棺が見られた。ビブロスのローマ劇場はとても小さく魅惑的で、トリマルキオの饗宴を演じる矮人の俳優たちの一団の舞台にふさわしかった（図8）。案内人はフェニキアの後裔にふさわしい褐色の肌の美しい青年であったが、もしイタリアの街角で彼と出会ったとしたら、われわれは彼

図5———ナールエルカルブのローマ橋と景観　レバノン

図6———ビブロス城　一二世紀　レバノン

図7———ビブロスの王家の墓所（ネクロポリス）　レバノン
図8———ビブロスのローマ劇場　レバノン
図9———レバノン沿岸地帯の塩田

図10———レーモン・ド・サン・ジル［トリポリ伯レーモン一世］の要塞　一二世紀　トリポリ　レバノン

を外国人とは思わないであろう。

そしてビブロスからトリポリへと伸びる陽気な海岸地帯は、まるで祝福されたイタリアのどこかの海岸のようで、リヴィエラやシチリア東部の海岸の姉妹のようでもあった。そしてある地点からは塩田が姿を見せはじめ、そのなかで回転する送風機が目についた（図9）。それらの送風機は、自然の風景を損なうというよりも、そこに幾何学的で機械的な旋律を加えるものであり、それは近代の美術家の好みにもあうのではないかと思われた。

トリポリ市街を横切りつつ、城（［中世の詩人(トルバドゥール)ジャウフレ・リュデルの］「遠くからの恋」の舞台）の高い壁（図10）を見分けたあとすぐに、われわれはとある小さなモスクの前でとまった。モスクの前には大きな泉水があり、聖なる魚がひしめきあっていた。それらの鉄灰色の魚たちを殺める者はだれもおらず、その周りには青々とした樹々が生えていた。その木陰では、コーヒーを飲みにやってきた、黒と青の衣装に身を包んだトリポリ在住の太った女性たちが、太った黒い魚たちに細かな餌を投げ与えていた。モスクの入口には、放心したような表情の盲目の老人が座っており、頭には下の方に白い帯を結んだフェズ帽をかぶっていた。老人は片手をリズミカルに動かしており、あたかも目に見えない蠅を追い払おうとしているかのようであった。そうしながら、老人はコーランを朗誦していた。

われわれは海岸地帯を去り、その耕作地と松の木をあとにした。そしてより厳しい土地へと登っていった。その過酷な地は焼けた黄土色をしており、遥かな海の青い水平線と際立った対照をなしていた。ハルバの町から先は平野となり、やがて二つの小川を越えた。小川の河原には、夾竹桃の花が咲いており、小鳥たちの囀りがこだましていた。われわれはシリアとの国境にある警察の検問所でありがたい三〇分を過ごした。わたしのパスポートの半ばまでのページは査証(ヴィザ)や検印、優雅なアラビア文字で埋め尽くされた。これらの中近東諸国（とりわけシリア）は、お役所仕事の形式を大変重視しているのである。

テルカラクから先は、快適だが樹木の少ない高地を進んだ。そして、そびえる山脈の青い背景の前に、城(クラック)が輪郭を浮かびあがらせた（図2）。城に近づくための道は砂漠に咲いていたのと同様の、朝鮮薊の小さな空色の花が咲く平野を通る、行先の知れぬ道であった。その道の両脇には黒っぽい色の石を積んだ低い壁が続いていた。そして暗色の衣服に身を包み、大地の茶色や白っぽい穀物の色に対して際立つ明るい孔雀石(マラカイト)色の布で頭を包んだ農民たちの一団の傍らを過ぎようとしたとき、マリア・テレーザが首をふりながら言った。「あのお城、イタリアやフランスにたくさんあるお城と同じじゃないの」。その言葉は暗黙のうちに、この城には見るべき価値がないという意見を表明していた。それを見るために、このひどい道を自動車で、穴を避けるために飛び跳ねたりジグザグ走行したりしながら、わざわざ旅する価値などない、という意見を。そして彼女は、この狭間のある巨大な建造物がわれわれの頭上に聳え、白みがかった石と薔薇色がかった石、つまり日に焼かれた部分が薔薇色に変じた石によって築かれた塔や外防備(バービカン)のすべてを現わしたときにおいてもなお、この城に見る価値があるということを、信じようとはしなかった（図11）。

否、これは決してほかのと同様の城などではない。この城はいわば岩山に乗りあげた船、異教徒の海のただなかにあってアララト山に乗り上げたノアの箱舟なのである。この船にはホスピタル騎士団員たちが詰めていて、ハマーの町やサラセンのほかの土地に対し、略奪や襲撃をするさいの出撃拠点としていたのである。

この城の高所、内側の城壁の南東に位置する塔にある騎士団長の部屋の入口では、肋骨穹窿(リブ・ヴォールト)と軽やかな蛇腹(フリーズ)にあしらわれた五弁の花の石彫が装飾となっている（図12）。これは、この類いの騎士たち（もっとも海を越えてやってきた西欧の騎士団員たちは東方の贅沢と安楽をいくばくかは受け入れていたが）の巣窟においては稀な優雅さを示している。この高みの場所は、厳しい天候によって漂白された石でできた、いくつもの中庭や階段、そして数々の塔を支配している（図13・図14）。それは広くがらんどうの舞台であり、いまではただ猛禽類の叫びが反響するだけとなっている。その下には通廊(ギャラリー)があり、宴会のための大広間があり、巨大な竈や大きな礼拝堂、広い共同寝室や衛兵の詰め所があったが、いまではそれらはむきだしになった壁に囲まれた穴倉のようになりはててしまい、風の不可視の精霊が、窓や銃眼を自由に出入りするに任せている。この城はほかのいかなる城とも異なる。それは単にその計り知れないほどの規模においてというよりも、むしろ人跡を断つ青白い丘陵での、大いなる孤独が当時意味していたものにおいてである。

図11———騎士の城（クラック・デ・シュヴァリエ）
南西側の外郭城壁　左から、円塔、水道橋、バイバルスの塔、奥に見えるのが内郭

図12———騎士の城（クラック・デ・シュヴァリエ）「騎士たちの大広間」の花の装飾と詩が刻まれた銘文

図13———騎士の城（クラック・デ・シュヴァリエ）　内郭を南側から見下ろす

図14———騎士の城（クラック・デ・シュヴァリエ）　平面図（右側が北）
ギヨーム・レイ『シリアとキプロス島における十字軍の軍事建築の記念碑的作例についての研究』（パリ、一八七一年）

この城は、騎士団という、大胆な冒険者たちのサーカスの、いわば「白い巨象［無用の長物］」であった。騎士団の大胆な冒険者たちは、遠慮がなく、物惜しみしない一方で不誠実であり、献身的である一方で残虐であり、粗野にして洗練されており、聖墳墓を異教徒から解放すべく、十字架の徴のもとに二世紀以上にもわたり、公然と戦い続けたのである。聖地の回復は少数の理想主義的で幻視に導かれた者たちによって支持されていたが、その一方で、多くの騎士たちは、故国では所有していない領土を獲得するために、彼らの兄たちを妬む原因となった貴族の称号を得るために、あるいは東方での贅沢で安楽な暮らしのために戦ったのである。当時、もっとも文明が開けていたのは東方であり、キリストの名において野蛮な侵略をおこなったばかりの、西欧ラテン系諸国出身のまだ粗削りの野蛮人じみた征服者たちを教化することができたのである。キリスト教は平和を説いたが、実際には武器を携えてやってきた。一方少なくともイスラム教徒たちは、平和のふりをすることなく、剣の支配を公言していたのである。

十字軍の騎士たちは、海向こうの中近東の地に東の間の王国を建て、西欧から、不満を抱いた小封建領主たちの騒乱分子を一掃した。そのためにばらばらに壊れた西欧の君主制をつなぎあわせて補修することが可能になったのである。しかし十字軍がもたらしたほかの肯定的効果の多くについて、十字軍についての最近の歴史家であるスティーヴン・ランシマンは、否定的な意見である。

十字軍はその狂信性によってイスラム教徒たちも狂信的にしてしまい、同じ障害に対して長年衝突をくりかえし、その経験からなにひとつ学ばず、些細で複雑な同族間の悲劇で四分五裂となり、人類に対する最悪の犯罪にして中世における最大の政治的錯乱とランシマンが述べるところの、ビザンティン帝国の破壊という罪を犯したのである。このようにして十字軍は西欧からトルコにいたる道を拓くとともに西欧と東方の関係に害毒を及ぼした。東方との関係は賢明なるイタリアの諸都市共和国にとって懸案事であったが、しかしこれらの諸都市とて十字軍の一件において潔白などではまったくなく、自分たちの強欲さのみによって駆りたてられ、十字軍への奉仕から高い利益を得ていたのである。

十字軍は東方から聖遺物をもたらした。それらは、聖母マリアの髪の毛、聖マタイや聖ニコラウスの遺骨、聖十字架の破片、聖ステファヌスの頭蓋骨や、カナの婚姻で用いられた酒壷のひとつなどであった。高位聖職者たちは、彼らの代理人たちが、十字架の獲得を誓願した者たちから、その誓願からの解放の代償として集めた金のおかげで、美しい馬や人に馴れたペットの猿を得た。民衆は、おこなわれてもいない十字軍のための献金によって圧迫された。十字軍は見事な騎兵突撃を敢行したが、それによって略奪された都市は死体で満たされ、しかも屈辱的な敗北に終わった。そのおかげでイスラム方のサラディン［サラーフッディーン］は、寛容で節度ある君主としてかえって光り輝くことができた。サラディンが一一八七年にエルサレムを再占領したとき、その八八年前にキリスト教徒たちが占領したときに起きたような略奪や虐殺は起きなかった。もっともエルサレム総大司教のヘラクリウスは自らの身代金として三〇デナーリを支払ったにもかかわらず、残りの富を蓄えたまま、エルサレムの貧しいキリスト教徒たちの分の身代金は払わず、彼らを運命に委ねたのであるが。

十字軍には多くの意気盛んで英雄的な隊長たちがいたが、誰一人として真のリーダーはいなかった。ゴドフロワ・ド・ブイヨンは信仰篤く質素で、金髪の美丈夫であったが、才知に乏しく愚鈍であり、実のところ詩人タッソが描きだしたような英雄などではなかった。彼らのなかでもっとも公明正大で誠実であったのは、聖王ルイであったが、遠征が失敗に終わり挫折してしまった。もっとのちのこと、一四四四年、［ハンガリーの］キリスト教徒たちが［オスマン・トルコとのあいだに結んだ］セゲド条約を破ったとき、スルタンのムラト二世は、反古にされた条約文書を自らの旗とともに持参してヴァルナの戦場に臨んだ。そして次のように叫んだ。「キリストよ、もし汝が汝の信者たちのいうような神であるならば、汝の信者たちをその不実ゆえに罰したまえ」。そしてムラト二世は、その軍勢ゆえか、あるいはその祈りゆえか、勝利を得たのであった。「大いなる勇気とあまりにも名誉に欠けたふるまい、大いなる信仰とこれほどまでに乏しい思慮分別」と、ランシマンは十字軍について結論づけている。「聖戦とは神の名においてなされた不寛容の長期にわたる行使以外のなにものでもなく、それは聖霊に対する罪である」。

　のちの時代においてなお十字軍を信じていたわずかな要人たちの一人である教皇ピウス二世が、船出する十字軍に祝福を与えるためにアンコーナに到着したとき、お付きの者は、教皇の乗る輿の天幕を引いて、主人の眼から事実を隠そうとした。十字軍への参加を約束していた多くの者たちのうち、実際にきた者は誰一人としていなかったのである。西欧がより高度な文化を達成し、この世にもはや餓えのなくなった現代において、十字軍は時代遅れである。西欧の知的生活に対して十字軍の諸王国はなにひとつ貢献しておらず、ただ城塞の建設においてその熟練技術を教えた。そしてそれゆえにこそ、騎士の城（クラック・デ・シュヴァリエ）は十字軍のこのうえもない記念碑であり、ひどく高価な代償を支払った戦いの美しくもおぞましい道具であり、白い巨象なのである。

　われわれがこの堂々たる要塞からでると、襤褸をまとった子供たちの一団に包囲された。彼らは喜捨（バクシーシ）を求めており、一人の盲目の老人によって指揮されていた。われわれ一行のなかの医者は、子供たちのほとんど全員がトラコーマを患っていることに気づいた。しかしわたしや一行のほかの者たちに印象的であったのは、子供たちが示す人種の多様さであった。それはまさに人種の標本のようであった。アラブ人やシリア人がいるのは当然として、しかし何人かは北欧人のようにも思われた。彼らはきっと十字軍の遙かなる子孫であったにちがいない。

（一九五六年／金山弘昌）

ダマスカス

　ダマスカスへの途上に私たちが通ったレバノンのハマナの谷を、「神の御業に目を向けた人に与えられるもっとも美しい光景のひとつ」と、アルフォンス・ド・ラマルティーヌは呼んだ（図1・図2）。彼は黒々とした深い峡谷を、大聖堂のパイプオルガンを思わせる大音響で水を落とす瀑布や滝を、ダンテの『地獄篇』にでてきそうな、「彼の想像力がつくりだせた地獄の環のなかでもっとも恐ろしいものが目の前で現実になった」光景を語る（さらに彼はつけくわえた。「だが、自然を前にして誰が詩人を名乗れようか。神が創造したあとで人はいったいなにができるというのか」）。ラマルティーヌがこの道程を進んだのは別の季節であったし、当時は高速道路など存在しなかった。それだけではない。なによりも異なるのは、彼が『東方紀行』（*Voyage en Orient*, 1835）を著わした精神的風土であった。私たち一行が横断したレバノンの地域は、ラマルティーヌが描写したのと同じ土地である。アルプスよりもアペニン山地に似ていて山が多く目に楽しく、フランスのロマン主義詩人の散文体の響きを呼び起こす。シリアとの国境を越えてすぐに、山賊の待伏せ場所にちょうどよさそうな、岩だらけの小山のあいだの峡谷を進んだ。岩山は、ダンテの『地獄篇』よりも、アンドレア・マンテーニャやジョヴァンニ・ベッリーニが描く岩壁の背景を想い起こさせた（図3・図4）。

　そののち、辺りは砂漠になり、そこで印象に残ったものが二つある。ひとつは墓地、二種の墓地であった。一方にフランス軍兵士たちの墓地があり、またその隣の小庭に囲まれた高貴な墓廟には、戦場で落命したシリアの戦争大臣

図1――ハマナ渓谷の滝　レバノン
図2――ラマルティーヌが滞在した家屋　ハマナ渓谷　レバノン
図3――アンティレバノン山脈 バラダ渓谷
図4――バラダ渓谷に残る古代ローマ水道橋　シリア

が埋葬されていた（図5・1・2）。ここは一九二〇年に戦闘があった場である。フランス軍がシリア軍を打ち負かし、ダマスカスを占領したのであった。私は、その一世紀前にラマルティーヌが書いたフレーズのことを考えていた。「いまや、このアジアの心臓部にヨーロッパの植民地をたちあげ、現代の文明を古き文明が去った土地に運び入れ、大きく切り裂かれたトルコ帝国の断片を組みあわせて広大な帝国をつくりあげる時がきた。かつての帝国は自らの重みで崩壊しつつあり、砂漠と廃墟の上に降り注ぐ塵埃を除いて跡を継ぐ者はいない」。

これらレヴァント諸国の国境を通るたびに面倒な手続きを耐えながら、私は心のなかでしばしば、歴史あるトルコ帝国が粉々に分断されたことを嘆いた。現代文明の長所と言えば、まさに砂漠で印象に残った二つめのことである。それは大きなタイヤをひとつ描いた砂だらけの看板と、巨人のような大きさで描かれた男の子が、アグファ社のカメラ・フィルムで撮影している看板（図6）であった。まあいいでしょう、でも気をつけなさいよ——アグファ・ボーイに私は言った。善良な主題だけを撮りなさい、行儀の悪いものではなく。現代風の仮面をかぶった家にしなさい、

図5・1——戦争大臣ユスフ・アル・アズマの墓を詣でるフランス委任統治下のシリア兵　一九四〇年頃
シリア　マイサラム

図5・2——現在のユスフ・アル・アズマ墓廟
シリア　マイサラム

図6——アグファ社の看板「メキシカン・ボーイ」
一九五〇年頃　ドイツ製

古風な装いの住民ではなく、と。

広告看板がところ狭しと掲げられ、何枚かは死刑執行人のような強風に煽られ逆さまになっていた。音を立てて流れるバラダ川の岸に快活なポプラや柳の緑が突然現われるだけ――コールリッジが「クーブラ・カーン」（'Kubla Khan', 1816）で詠う、壮麗な歓楽宮との近接を予感させるロマン主義的な大地の裂け目のよう――で、私たちは陽気になった。どこもかしこも周りは荒野であったが、目の前にコンクリート造の巨大な工場とその高い煙突が現われたときは、「壮麗な歓楽宮」（stately pleasure dome）に見えた。オリエントの風俗を扱った一九世紀の書物から抜けだしてきたような、薔薇色と空色のパルダメントゥムをまとった女性がそこに佇んでいなかったなら、私は世界のどこかの工業都市にいると思ったかもしれない――モーリス・バレスが「幻想の祖国のひとつ、詩の宮殿のひとつ、魂の棲む城のひとつ」と呼んだ都市ではなく。

バレスがこの地を訪れた一九一四年には、ダマスカスの近代化は現在ほど進んでいなかった。鉄道の駅、路面電車、電信線はなかったし、おそらくまだ、柱身に電柱のフリーズ装飾が螺旋形に刻まれ、柱頭にミナレットのついた建物のミニチュアが載るあのずんぐりした円柱のモニュメントも存在しなかった（パゾレックが悪しき嗜好についての著書[Gustav Edmund Pazaurek, *Guter und schlechter Geschmack im Kunstgewerbe*. Stuttgart-Berlin, 1912]でとりあげてもおかしくなかった）。すなわち、ヒジャース鉄道と電信線の敷設を記念した円柱である（図7）。バレスは感情を露わにして叫んだ。「陳腐な都市化を表わすこれらの外面的記号はたった一日の寄与にすぎない。かの地の永遠性に手出しできるものではない」。

図7———電信記念柱　一九〇四／〇五年
マルジェ広場　ダマスカス 一九五〇年代撮影

図8———大使館が並ぶアブ・ルマネ地区から
カシオン山麓のサーリヒーヤ地区の眺め
ダマスカス　一九五九年

図9———サーリヒーヤ地区からダマスカスの眺め　一九三〇年代

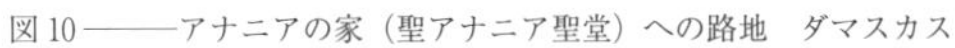
図10———アナニアの家（聖アナニア聖堂）への路地　ダマスカス

ダマスカスの大部分が近代都市になった今、彼は同じことを言えるだろうかと私は自問する。

近代都市ならではの国際見本市のパヴィリオンが建ち、お決まりの大通りが走り（勝利の大通りと呼ばれたはずであるが、では誰の勝利なのかをたしかめることはできなかった）、よくある住宅地が広がる。各国の大使館はローマのパリオーリ地区を想像させるが、おそらくより土の色に近い。大使館が建ち並ぶ広い通りの奥に、地面が露出した山の斜面が見え、砂漠色の古いアラブの家々が佇んでいる（図8）。

このちぐはぐな対比はシュルレアリスムが多用したフォトモンタージュのようである。ダマスカスでは、ベイルートと同じく、アメリカ製の豪勢な自動車がたくさん走っており、裕福な住民であればさほど高くない手付金を支払い手に入れられる。彼らはたいてい明るい岩緑（マラカイト・グリーン）青の車を好む。ダマスカスでは、馬力のあるメルセデスとぼろぼろの服で驢馬に跨るアラブ人が並んで信号待ちをしているのをよく見かける。この組みあわせは、これらアラブ諸国が経験している過渡期を象徴している。私たちの雇った運転手はレバノン人の男で、サーリヒーヤ地区から都市のパノラマを見たいという私たちを乗せてくれたが、現地ガイドの護衛が必要だとあわてて私たちに告げた。警察から彼にわれわれ一行を案内する許可がでるはずもなかった（図9）。レバノン人の運転手が「良からぬ」場所に――ああ、極悪なところはなにもないのに――外国人を運んだとして逮捕された事件が多く起きていた。そこはただの庶民的で、汚い、粗野な地区で、バレスはこう言っていた。「薄暗く曲がりくねった街路や路地に、泥と細かく刻んだ藁で建てた埃まみれの住宅が並んでいる。だが、この貧窮、このくすんだ色合いこそ空想力を活性化させると思わないであろうか。この秘密の壁の向こうで、愛と死がどう理解しあうのかをなんとか知りたいものである」。

これと似たような路地を、アナニアの家の近く（図10）やムヒディン・アル・アラビーのモスクの周りで見た。荘厳な客間のような祈禱室――室内には送風機が置かれ、天井から吊られたシャンデリアはムーア風の色ガラスのもの、ムラーノ・ガラスのものもあれば、一九世紀に流行った吊り下げ式石油ランプもあり、奇妙な組みあわせであった――で絨毯の上にうずくまる二、三人の男たちは、死をどう理解したのであろうか（図11-1・2）。近隣に建つ、壁

図11・1――ムヒディン・アル・アラビーのモスク　ダマスカス

図11・2――ムヒディン・アル・アラビーのモスク　祈祷室　ダマスカス

にピンナップガールの色あせた写真や石版画がべたべたと貼られた家々の住民は愛をどうとらえていたのであろうか。

現地の色彩を探して私たちが逃げこんだ屋内市場（スーク）は、コルゲート鋼板の高いヴォールト天井とくすんだ緑色の壁が延々と続いていた（図12）。全体として実に色とりどりであった。とくに目についたのは菓子類を吊るす三脚台で、腕がたくさんあるピンク色の変わったハンガーのようなものが、たいていは木彫りの鳥の台座に載せられ、全体にベールが掛けられている。数えきれないほどの小さな店舗を埋めつくす商品に近づくと、マンチェスターや日本から輸入された更紗をしばしば目にすることになり、そのような由来が異国情緒をもたらすことはまったくない。あるいは、新聞の切り抜き、自転車に乗る人、リオ・デ・ジャネイロといった地名などがプリントされたシャツが吊られており、派手なネクタイと同じく、アメリカの奇抜なデザインがどのようなものかを知ることになる。

現地の味を求めて、私たちは「王侯たちのレストラン」と書かれたアラブ料理屋で食事をした。葡萄の葉で包んだ米や、松の実と和えて、弾力のある羊肉の下に敷かれた米は咀嚼に疲れるし、いつでも飲みものは美味なヨーグルトであったが（イスラム教徒の土地ではいかなるアルコール飲料も禁止される）、異国情緒にぞくぞくすることはなかった。ダマスカスの人びとがどんな気晴らしをするかを見たくて、陽が落ちるころ市外にたくさんある庭園のひとつに赴いた（図13）。バラダ川の流れる岩の多い峡谷の心地よいパーゴラの下に庭園が広がり、黄昏時に蛙の鳴き声が響いた。崖の上のほうにベイルート道路が見え、豪奢なアメリカ車、二頭の老いた馬が引く一九世紀式の背の高い幌馬車と頭をハンカチで包んだ御者、箱型の三輪貨物自動車やタンクローリー、驢馬、旧式の機関車が逆向きについた列車までが途切れなく走っている。ガーデン・カフェでは、整地され赤茶けた地面の真ん中で噴水が心地よい水音を立て、素朴で時折風味の良い前菜がテーブルに並べられた。

ほっと一息ついた私たちは、木々のあいだに無邪気な昔風の提灯のほか、色とりどりのネオンまで吊られているのに、コカ・コーラの円盤形の広告がひとつもないことに気づいた。この飲みものにシリア人は高関税を課して対抗し

図 12———アル・ハミディーエのスーク　ダマスカス
図 13———旧市壁沿いに造営された庭園　ダマスカス

た。レバノンはそうならず、コカ・コーラが君臨している。現地色が薄まるのを危惧する人びとは、コカ・コーラに対するこの姿勢がレバノンとシリアの差異をもっともよく示す特徴のひとつだと指摘している。ガーデン・カフェでは、水煙草も提供しており、頸のところにピンクと緑のベロア飾りがついていた。またここで、長い黒シャツを着た神学者のような風貌のアラブ人からうめくような声をだすおしゃべり人形を買うこともできた。私たちは、シチリアで連合軍と行動したことがあるという、このレバノン人の運転手もテーブルに同席させた。彼は、イタリアの有名人ではとりわけ「金持から奪ったものを貧民に与えた」匪賊ジュリアーノをよく知っていた。

大モスク（ウマイヤド・モスク）を称賛する声をたくさん聴いていたし、失望させられることはほぼなかった（図14-1・2）。大火事が起きるたびに――最後の大火災は一八九三年――再建されたモスクの内部は、美しい比例と円柱を除けば真に古いものはない（図15）。ここでもシャンデリアの選び方がどうも気になった。帝政様式から一九世紀の常夜灯のような青い球まで、ありふれたすりガラスの皿に嵌められた電灯まであった。おそらく内部が非常に広いためか、絨毯の上に身を屈めたり横たえたりして祈る信徒たちが、浜辺で日光浴をする人々に似て見えた。袖廊の北壁とファサードを飾るビザンティン・モザイクは、緑色、紫色、金色の風景と、断面図のように幹の赤い芯が露わになった木々を表現しており、もし修復途中でなかったらはるかに強く私たちの心を打ったはずである（図16）。東洋の将棋の駒を巨大にしたような、先が細く透かし模様の入った優美なミナレットを称賛せずにいられようか。ミナレットのひとつは、よりほっそりしていて、セビリアのヒラルダの塔――もとはミナレットであった鐘楼――を想起させた（図17・図18）。

私たちが感心したのは、スーフィー教団の修道僧、ダルヴィーシュたちの修道場(テッケ)のルネサンス的な純粋美である（図19）。一六世紀初頭にスレイマン一世により建てられたテッケは、噴水が水音をたてる中庭の周りにたくさんの小クーポラがあり、中央のクーポラは、案の定、再建されたものであった。だが、私たちはこれよりはるかにアラビア的な建物をパレルモで見たことを、告白しなければならない。侵略的なモダニティにより特質の大半が失われてしまっ

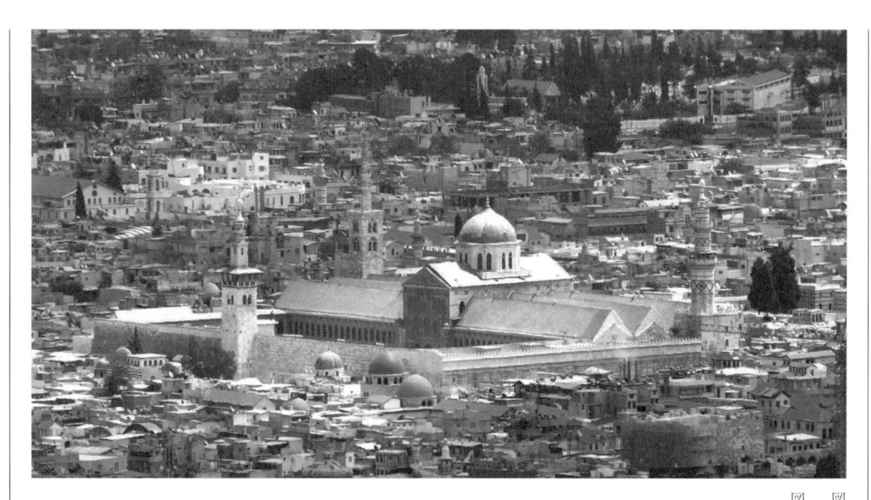

図14-1——ウマイヤド・モスク
全景　ダマスカス

図14-2——ウマイヤド・モスク
中庭の噴水　ダマスカス

図15――ウマイヤド・モスク　祈祷室の洗礼者ヨハネ墓廟　ダマスカス
図16――ウマイヤド・モスク　正面ファサードのモザイク　ダマスカス
図17――ウマイヤド・モスク　預言者イサ（イエス）のミナレット　一二四七年以降　ダマスカス
図18――セビリア大聖堂　ヒラルダの塔　一一九八年

図20・1――サラディン廟　ダマスカス
図20・2――サラディン廟の庭園　ダマスカス
図19――ミマール・シナン設計　スレイマン一世のテッケ　一五五四年～五九年　ダマスカス
図21――アル・ブズリヤ・スーク内、アサド・パシャの隊商宿　一七五一年～五二年　ダマスカス

図22――ダマスカス国立博物館
エル・ハイル・アル・ガルビ城（八世紀）の門を組み入れた正面入口
図23――ドゥラ・エウロポスのシナゴーグ西壁のフレスコ壁画　三世紀　ダマスカス国立博物館
図24――饗宴図浮彫断片　一四七年頃　パルミラ遺跡マルコ地下墓出土　ダマスカス国立博物館
図25――イク・シャマガン王像　紀元前二五〇〇年頃　アラバスター　ダマスカス国立博物館
図26――ウル・ニーナ（大歌手）の像　紀元前二八〇〇年～二三〇〇年頃
アラバスター　ダマスカス国立博物館
図27――エメサの兜　一世紀　鉄・銀・金　ホムス出土　ダマスカス国立博物館
図28――ラッカの陶製騎馬像　一二世紀　ダマスカス国立博物館

たが、ダマスカスはいまも魔術的な魅惑に満ちた一角を残している。サラディンの墓のある礼拝堂とシトロンの葉が芳香を放つ小庭園（図20・1・2）。スークにあるアサド・パシャの隊商宿（ハーン）は、小クーポラがヴェネツィアのサン・マルコ大聖堂を想い起こさせる（図21）。中央クーポラの屋根をとりはずしたサン・マルコ大聖堂であり、その壁面は金色のモザイクのかわりに、白と黒の帯装飾で覆われている。サン・マルコを薄暗い倉庫に変えたようなこの場では、アーケードの下と噴水の周りが商品の山、積み重ねた小箱、香辛料の入った芳香漂う大量の袋でふさがれ、その周りを荷運び人が半裸で忙しく働いている。

国立博物館も魅力が満載である（図22）。ドゥラ・エウロポスのシナゴーグの素晴らしいフレスコ壁画（図23）、パルミラ遺跡から出土した横臥食卓（トリクリニウム）の浮彫り（図24）、紀元前三千年頃と推定される、メソポタミアの抽象化されたすばらしい人物小像（図25）。神々や聖職者を象ったこれらの像は、上半身が裸で、パパゲーノの腰布のように羽根の列を重ねてできたようなスカートをはいている。髭が生え、大きな鼻に目を大きく見開いたその顔は、恐怖と笑いをともにかきたてる。小像のひとつは「偉大なる歌手ウル・ニーナ」の像で、臀部の膨らみが際立ち、目が大きく描かれているが表情は昆虫のようである（図26）。ホムスから出土した西暦二世紀の支配者が着けた金銀の仮面もある（図27）。一二〇〇年代のモンゴルの騎士を象った黄色と青色の釉薬をかけた陶製の像は、マルコ・ポーロが記した東方の真髄と言えるであろう（図28）。

（一九五六年／新保淳乃）

一九世紀のレヴァント

「ダマスカスではトルコの宮殿を見せられるでしょう、けれどその価値はありません、蠟人形のいる巨大なガラクタですよ」。私にこう告げた人は、蠟人形に言及すれば、アゼム宮殿（図1・図2）を忘却の彼方に追いやるための決定的意見を述べることができると考えたのであろうが、私がむしろ耳をそばだてるとは想像もしなかったようである。なぜなら蠟人形はつねに私の興味をかきたててきたし、私をすっかり魅了したこともあるからである。私はレヴァントの蠟人形になんの期待もしていなかったばかりか、賢明にもかなり控え目な予測をしていたのであるが、結論から言えば、ダマスカス市内のあの一隅を見学するのに一時間もかけたことを後悔していない。その歴史資料としての価値は、芸術的価値を完全に凌駕していた。

直角に折れ曲がる、目隠しされたエントランスからアゼム宮殿に入ると、技巧に富んだ中庭がある（図3）。そこはアーケードと、ピサやフィレンツェの聖堂にあるような、白黒の帯になった壁とで囲まれた大きなパティオであった。スペインにいったときは、外からは見えない、花々の芳香と噴水の水音で満たされた甘美なパティオをたくさん眺めながら、ダマスカスを想起したものであるが、ここダマスカスではやはりスペインが思いだされた。宮殿の内部はまったく様相を異にしていた。

家具調度におけるアラビア趣味を誰もが知っている。なぜなら、かつて前世紀と今世紀初頭には、イタリアでもヴ

© Discover Islamic Art (MWNF)

図1――アゼム宮殿　一七四九年　シリア　ダマスカス
図2――一九二五年一〇月の仏軍空襲により破壊されたアゼム宮殿　ダマスカス
図3――アゼム宮殿　中庭　ダマスカス

図4——アルベール・グーピル邸
オリエントの部屋　一八八八年以前　パリ
図5——オスマン製テーブル　一八八〇年頃
黒檀・チーク・象牙・骨・真珠貝
図6——ダマスカス製真珠貝螺鈿細工の花嫁箪笥
一九三〇年頃
胡桃材・銀糸・真珠貝・駱駝の骨

ィラにアラビア風の広間を設え、象牙や真珠貝の螺鈿細工をほどこした角ばった家具、刺繍入りのクッション、さらには純粋な飾り物として水煙草まで置くことが流行したからである（図4）。ヨーロッパ諸都市には、絨毯、真鍮の器や行列で運ぶ戦利品をはじめ、こうしたオリエントの調度類を売る専門店が存在していた。いまや嗜好が変わり、ああした家具は古物商の店に雑然と積まれて、ひどく惨めな境遇にある。実のところ、私はこれらの家具の観念と、パピエ・ダルメニア（紙のお香）の芳香、三ツ星宿の陰鬱さ、地味な法律事務所の待合室、田舎の応接間、二〇世紀初頭の娼家（カーザ・ディ・ピアチェーレ）とが別物とは思えない。埃まみれと杜撰な扱いが、アーモンド菓子あるいはマカダミアナッツ入りチョコレートでつくられたようなこれらの家具を待ち受ける運命であり、ダマスカスで現地の工芸品を集めた大商店を訪れ、綺麗で光沢のあるアラビア家具が並ぶ部屋を見て回ったときは、ひどく不自然なものに感じたのであった（図5・図6）。

しかしながら、ここアゼム宮殿では塵埃と老朽が目についた。部屋の装飾はその透かし細工、波型の縁取り、鍾乳石に埃を溜めるために誂えたようなもので、色褪せて破損した粘土や蠟の人形たち――その髪は経年と無関心のためますます人造の毛に感じる――にとって申し分のない舞台背景となっていた。ある部屋では、実寸大に近い人形を使って、婚礼の準備をする花嫁の様子が表現されていた（図7）。別の部屋では、オスマン帝国の高官、パシャが代理公使（シャルジェ・ダフェール）とともに座し、一人の召使がコーヒーの盆をもって近づく場面であった。痩せぎすで緑がかった肌の、大きな眼鏡をかけた代理公使は、ちょび髭をまばらに生やしていて、まるで胃弱な病人のおぞましい肖像であった。この一群の頭上には、パシャとその兄弟の色褪せた二枚の写真が蝶番の外れた螺鈿細工の額縁に入れられ、掛けられていた。ベドウィンの女性たちを表わした別の群像もあった。さらに別の部屋ではドルーズ派の指導者のもとでの入信式が再現されており、真っ白な蠟でできた人形たちは軽く汗ばんだような顔をしていた。

すべての部屋で噴水のさらさらとした水音が聴こえた。そのうち一室には灯油ランプと、空色のガラスに金色のアラベスク模様をつけた丸く膨らんだ壺とが大量に並べられ、ランプに照らされて骨董屋のような雰囲気をさらに増し

図7――アゼム宮殿　花嫁の間　二〇一一年撮影
図8――アゼム宮殿　灯油ランプや家具の展示室　ダマスカス
図9――アゼム宮殿　壺や皿が並ぶホール　ダマスカス

図10———アゼム宮殿　パシャの天蓋　ダマスカス
図11———アゼム宮殿　浴室　ダマスカス

ていた（図8）。宮殿のレセプション・ホールの壁龕には、そうした一九世紀のレヴァント地域で造られた工芸品の見本がたくさん並べられていたのであるが、実を言えば、私にはヨーロッパ製品の野暮な模倣に感じられた（図9）。緑、ピンク、白のオパールでできた銘文入りグラスが、イスラム教の第三の聖地たるダマスカスで誉めそやされていた。球根のように膨らんだレモネード用のカラフェ、香水の小瓶、先の尖った栓がついたクリスタルガラス製の大きな瓶。これらはすべて、ビーダーマイヤー様式の骨董品（ブリック・ア・ブラック）をレヴァントの表現に翻案したもので、ウィーンやパリの粋な品々とあからさまにはりあおうとして、輪をかけて田舎くさく植民地的な風情をまとっていた。それでもやはり、多くは純正のオリエント製品なのであり、銀線細工（フィリグリー）のエッグスタンドが実際はトルコ珈琲の小さなカップを置くために使われている。

宮殿のある部屋には、パシャがメッカ巡礼のさいに使った、ピラミッド型の緑色の天蓋と幟が保管されていた（図10）。一枚のくたびれた写真に、この天蓋を背にして一群の人々が並んでおり、なかにはトルコの軍服を着た人物もいる。この写真では、軍人とブルジョワジーから成る彼ら全員が、古い写真でよくあるように、蝋人形と同じくらいグロテスクに見えた。その近くのガラスケースに卵がひとつ入っていて、極小の文字でぐるりと囲むようにコーランから採った三千もの言葉が書かれていた。金縁の鏡と第二帝政様式のコンソールが置かれた夏用の小部屋も、心気症を患ったような人形がスツールに座る冬用の小部屋も見学した。このスツールの上には真珠貝象嵌で縁取られた手鏡が置かれており、これと似た真珠貝細工は、地下から家具が噴出でもしたようにいたるところで流行していた。浴室では、半裸の男の人形が別の人形を磨きあげているところであった（図11）。くたびれて埃まみれのソファ、ぐらぐらして価値のない脚台、灯油ランプがあちこちに置かれていた。すべてが色褪せ、壊れかけ、みすぼらしく、まるで、もはや波に洗われることもない砂だらけの海岸にうちあげられた漂流物のようであった。

しかしながら、この古いガラクタの感覚は、ベイト・エッディーン宮殿にはなかった（図12）。レバノン山間部出身で総督（アミール）となったバシール・シハブ二世（一七六七年〜一八五〇年）が、ベイルート南方の葡萄畑と果樹園が広がる心

図12———ベイト・エッディーン宮殿　一七八八年〜一八一八年　全景　レバノン

図13———アル・ショウフ・レバノン杉自然保護公園　レバノン

図14———デイール・エル・カマールの渓谷　レバノン

図15———ベイト・エッディーンの谷間　レバノン

地よい土地の、深い谷間に囲まれた岩場の上に一八〇〇年代初頭に建設した宮殿である。私たちはダマスカスからの帰路に宮殿を訪れたのであるが、そのときに通った道よりも美しい風景はないであろう（図13・図14・図15）。峡谷と険しい山々、都市の城壁を思わせる岩壁、フィレンツェ南方のスコペティに似た松林、午後の金色の陽光を受けて細密画写本の一ページのように輝く、草木の生い茂る斜面、金雀児やハイビスカスが咲き誇る川べり、露出した砂地が夾竹桃の桃色に染められた川床、突風のようにたちのぼる松脂と肥沃な田畑の匂い。かくも広大で意気揚々とした風景を前にすると、ラマルティーヌの高い評価もやはり誇張とは感じられない。「ナポリにもソレントにも、ローマにもアルバーノにも、これに似た眺望はない」。しかしながら、ベイト・エッディーン宮殿について、ラマルティーヌは、「広大な塔」、「緑におおわれ、泡立つ川水の条がついた小高い丘の、頂上にそびえるピラミッド」、「宮殿とテラスの巨大な影が全体に延び、丘の麓までおおうほど」と形容しており、さすがに誇張が過ぎる。

この宮殿には華奢な連続アーチで囲まれた広い中庭があり、面積は広大でも高さへの渇望は見られない（図16）。そこには豪奢ななかにも、金色のシトロンの木と、アラベスクや薔薇色と水色の花模様に彩られた壁面に、幾何学模様をなす星が散りばめられた天井に、蜜蜂の巣を切断したような白いプラスター装飾に、白と薔薇色の大理石が交互に重なるハレムに、またアングルの描く均斉のとれたオダリスクたちを呼び起こすこの雰囲気にも、なにがしかの節度、なにがしかの繊細さがある（図17・図18・図19）。近年起きた地震により宮殿の一翼が倒壊した。浴室は透かし装飾の入った小クーポラにおおわれ、無数の孔に嵌められたガラスを通して柔らかな光が射しこんでおり、こちらは被害を免れていた（図20）。全体として、寂しくも美しい落ち着いた印象が、この住居から発せられている。シトロンの木々が植えられた宮殿は、新古典主義趣味により生まれ変わったグラナダのヘネラリーフェのようである（図21・図22）。

規模は小さいがよく整備された美術館では、ロシアの新月刀が収蔵されていたのが目にとまった。これはマントヴァ攻略の遺品で、ナポレオン・ボナパルトがオスマン帝国の港湾都市アッコ包囲戦（一七九九年）の時期にバシー

図16——ベイト・エッディーン宮殿 一七八八年〜一八一八年 中庭
図17——ベイト・エッディーン宮殿 中庭からのエントランス
図18——ベイト・エッディーン宮殿 噴水のあるホール

図19―――ベイト・エッディーン宮殿　レセプション・ホール
図20―――ベイト・エッディーン宮殿　ハマム（温浴室）

図21―――ヘネラリーフェ宮殿の庭園　グラナダ

図22―――ヘネラリーフェ宮殿　アセキアの中庭の展望塔　グラナダ

ル二世に贈ったものである。また、これらの人物や当時の逸話を呼び起こす図像が展示されていた。シドニー・スミス卿が指揮する英国艦隊の将校たちが、大宰相とともに水煙管をふかしている（図23）。マール・エリアス修道院は、ヨーロッパに味気なさを覚えたレディ・スタンホープ（一七七六年〜一八三九年）がエキセントリックで過激な女性としての人生を送った住まいである（図24）。彼女はアラブの族長の服装をした魅力的で恐れを知らない巫女として、トルコ式庭園と彼女が信じていた黙示録の神とに見守られて暮らしていた（図25）。

サルデーニャ政府からアミールへの書簡、イギリス外務大臣パーマストン子爵の書簡もあった。これはエジプト総督のムハンマド＝アリーが降伏し、彼に味方していたバシール二世がスルタンから処罰を受けたのちに送られた。レバノン総督（アミール）のファフル・アッディーン（一五七二年〜一六三五年）にかかわる文書は、一七世紀初頭にオスマン帝国の大宰相府（サブライム・ポルト）に反乱を起こしてメディチ家のフェルディナンド二世に支援を求めたさいのものである。そのなかにはパラッツォ・ヴェッキオの写真を引き伸ばした質の悪いパネルもあり、碧眼のレバノン人ガイドはメディチを「メテッチ」と、そしてやはりヴェッキオを「ヴェッチオ」と発音していたものの、画像の語るものは明瞭であった。

こうした遺物のほかに衣類も展示されており、ヒールや底がとてつもなく高いあの奇妙な靴があった（図26）。ヴェネツィアではチョッピーネと呼ばれてとくに高級娼婦が履いていたが、ここでは新婦の履物である。また、小さな鈴で飾られた靴は、レヴァントの嫉妬深い夫たちが、一九世紀になっても、妻の足に結んで動きを逐一監視していたものである。円錐形の高い帽子は中世ヨーロッパのエナンに似ていて、王女たちが頭に斜めにかぶっていた（図27）。最後に、ヨーロッパ製のグランドピアノのある応接間で、トルコの婦人の蠟人形が来客を迎える展示があり、一九世紀におけるレヴァントの生活の一片が再現されていた。

脳裏に浮かぶのはラマルティーヌであった。詩人はこの宮殿でアミールの客人となり、その賢明さと啓蒙的な精神、高貴で立派な物腰を称賛しつつも、陰謀と残虐さにまみれたその経歴を無視できず、また壮麗な馬小屋を称えつつも、一週間滞在した部屋の快適とは言えない状態をあまり評価しなかった。のちにこの宮殿を最上級の誉め言葉で記述し

図23——フランシス・B・スピルベリー原案／D・オルム制作
《オスマン帝国大宰相のテント（一七九九年対仏防衛戦の大宰相とシドニー・スミス卿）》アクアチント
フランシス・B・スピルベリー『聖地とシリアのピクチャレスクな風景』
ロンドン　一八二三年　ウェルカム・コレクション

図24―――マール・エリアス修道院　六世紀創建／一一六〇年再建　パレスチナ　西岸地区　東エルサレム

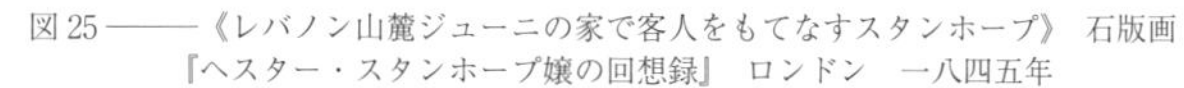

図25―――《レバノン山麓ジューニの家で客人をもてなすスタンホープ》 石版画
『ヘスター・スタンホープ嬢の回想録』 ロンドン　一八四五年

図26——カブカブ／ナリン
（オスマン帝国の浴室用サンダル）
一九世紀　木・真珠貝・銀
メトロポリタン美術館

図27——フランスまたはフランドルの画家
《トルコの貴婦人》一七世紀
ウェルカム・コレクション

図28・1――ピエール・ロティ邸内のモスク
一八九五年～九七年　ロシュフォール
図28・2――アーチの前に置かれた「アジヤデ」の石碑の複製
一九〇五年　ロシュフォール

たジェラール・ド・ネルヴァル（一八〇八年～五五年）が思いだされた。その当時、往時は「宮殿、要塞、ハレムが一体となったこの建物のうち、人が出入りしていた監獄の部分しかもはや残っていなかった」。「音が反響するがらんとした廊下、人気のない広間、かつて小姓、奴隷、兵士らがひしめいていた場所は、ウォルター・スコット（一七七一年～一八三二年）の描く、スチュアート朝が断絶してのち王室の華麗さをことごとくはぎとられたいくつもの城を想起させた」。ピエール・ロティ（一八五〇年～一九二三年）にいたるまでの、ロマン主義者たちの描くオリエントの夢が呼び起こされた。ロティについてはピエール・ブリケが興味深い記録を満載した本を書いている（*Pierre Loti et l'Orient*, Neuchâtel, Editions de la Baconnière, 1945）。

ロティは、「赤い流血」のスルタンと恐れられたアブデュル＝ハミト二世（位一八七六年～一九〇九年）と謎に包まれた友情で結ばれ、ラマルティーヌがバシールに見ていたように、彼のなかにロマン主義的な英雄像をみいだしていた。ロティは、モスクを満たす「静けさと調和、冷やかさと赦し」の空気に浸されたあまり、自らフランスの地にモスクを建て、そこに彼が崇敬したアジヤデの石碑を置いたほどである（図28‐1・2）。

レディ・スタンホープ、ラマルティーヌ、ネルヴァル、ロティ――昨日までいたこれら亡霊たちが、いかに遠い過去の存在に感じられることか。毛足の長いスカートをまとったシュメールの僧侶たちや、筒形のカラトスを頭にかぶった古代パルミラの住人たちとほとんど変わらないように思われる。レヴァントの風景や風俗を褒めたたえ、このなごやかな土地を『千夜一夜物語』に登場する土地のひとつに読み替えた、彼らの異国情緒あふれる夢と同じくらい、遠い過去に退いてしまった。いまやこの土地は、高速道路とアメリカ製の自動車により、世界のどの国々とも変わらない場所となってしまった。

（一九五六年／新保淳乃）

エジプトの空

ある友人がわたしに言ったことがある。カイロとルクソールを結ぶ寝台車で目を覚ましたとき、彼は窓の外に見えた得も言われぬ光景に、自分が天国にいると思った、と。わたしは早い時間に起きだし、この瞬間を見逃すまいと心に誓っていた。夜明けの風景はいくつも目にしてきたが、ここでは本当に『天国篇』の詩人に身をゆだねる必要があった。

言葉には私の見たそのような光景を表わす力はなく、
記憶にもこれほどの途方もない壮挙を覚える力はない。（第三三歌〔原基晶訳〕）

エジプト時間で朝の五時一五分であった。濃いターコイズ・ブルーの空に沈みつつある鎌形の月が浮かび、その下向きの突起によりますます金色の小舟に見えた。水平線全体が半透明の唐紅色に燃えあがり、平野はナイルの水に浸されて、こちらは薔薇色の、あちらは空の薄緑色の光を反射して輝いていた。この光景を背に、棕櫚の枝葉と数人の男たちのシルエットがくっきりと浮かびあがった。一人はターバンをかぶり、エジプト民族衣装のガラベーヤを着て、彫像のように微動だにせず岬の上に立っている。別の一人は魚を捕るため膝まで水につかっている。そのあいだにも、西方の低い山々がドロミテ山脈のように薔薇色に染まり、棕櫚の葉がピスタチオ色を帯びていった。一艘の小舟がターバンを巻いた二人の男を乗せて、ナイルの川面をゆっくりと航行する様は、祭壇画のプレデッラに描かれた奇蹟場面のようである。

わたしは、旅の仲間が眠ったままあの光景を見逃さないようにと、隣のキャビンの扉を狂ったように叩いた。大勢の乗客が起きてきて、知らせたことを私に感謝した。ある婦人が「これは極彩色（テクニカラー）の世界ですわ」と声をあげた。それはまことに信じがたい光景であって、どんなペンもどんな絵筆も永遠にとどめることはできなかったであろう。なぜなら色彩により、触知できない、地上世界を超えた天上の性質が創りだされていたからである。まさしく、その婦人が男友達に向かって叫んだとおりの質であった。「私は天国にいるのよ」。

一瞬が長く感じられた。次に、赤く熱した太陽の球が地平線をこじ開けて現れたとき、曙の光はイタリアで見るあらゆる曙と同じく輝きを放ったが、それはもはや見慣れた光で、あの心奪われる驚きをひきおこすことはなかった。夕焼けにも夕焼けの媚態がある。太陽はイタリアと同じく、淡い色に変わり姿を消す。それから少しして、窯に入れたガラスのように空が燃えあがり、すでに暗くなり星が輝きはじめた夜空は、薔薇の精油を浸したように時間をかけて薔薇色に染めあげられる。カイロでベリー・ダンスを踊る踊り子を見たとき、はじめは平凡でほとんど生気がなく、いささかぎこちなくも感じたのであるが、彼女が両肩を動かさずに胴の部分を震わせ始めたとたん、上からの命令で彼女は腹部を布で覆うという節度ある格好をしていたにもかかわらず、じつに官能をそそる煽情的なエネルギーが伝わってきた。ここでもなにか感性を圧倒させる性質が、ダヌンツィオであれば、理性を超えて陶酔した精神と呼んだであろう第三のもの（テルティウム・クイド）が、その場を満たしていた。

ナイル河畔の長い黄昏時に、フェラッカ船が風上へとジグザグに航行し、また風がそよとも吹かないときは櫂で進んでいた（図1・図2）。あるとき、旅の仲間の一人が若いころの思い出を語り始めた。それはその時間のいとも甘美なる静けさにあわせた緩やかな朗詠のようであった。金色と薔薇色の寝台のようなあの地平線から、ほっそりした月

図1――ナイル河畔のフェラッカ船

図2――ナイル川の夕焼け　エジプト

のランプが吊り下げられた、あの濃い青色の天蓋から眼が離せなかった。船の舵をとるヌビア人の男は白いターバンを巻き、浅黒く険しい顔のなかで目の白い部分が光っていて、黄昏時の風景を背にする姿が、やにわにシャセリオーの絵画を思い起こさせた（図3・図4）。

あのとき、わたしはフランスのロマン主義画家たちにとって『オリエント』が意味したものがなにかを完全に理解できた。ドラクロワ、フロマンタン、プロスペル・マリヤは、オリエントについて、とくに生きもの、空、風景、人びとを見つめていた（図5・図6・図7）。

カイロではごくまれに白い小さな雲を目にしたが、さらに南にいくと、天空はなにものにも動じない真っ青な色で、砂漠の大気は昔話にでてくるネクタルのように酔い心地にさせる。九月末の暑さは度を越すほどではなく、イタリアにシロッコが吹くときの、あの衰弱させる汗にまみれることもなかった。いつも甘美な微風がそよぎ、あたかも天使たちが目に見えない衣を空中になびかせ、海緑色の翼であおいでいるかのようである。そこはまさに地上の楽園であった。しかし、ひとたび男たちや彼らの家に視線を向けたなら、ボードレールの描写した一節を思い浮かべずにはいられまい。

> 永遠なる南方の悲痛な美を、日中の愛らしくも恐ろしい煌めきに包まれた、ハンセン病者たちの鱗で覆われたような光彩を、私は語ろう。

フロベールがアラビアの娼婦にまつわる「偉大な組みあわせ」について書いたことを想起させられるであろう。

> 君は，カメムシのせいでクシウク・ハネムをおぞましいと言うんだね。それなんだよ，それが逆にぼくを魅了するんだ。吐き気を催させるカメムシの匂いが，彼女の濡れた肌から立ち上る白檀の香りに混じり合っていた。

図3――テオドール・シャセリオー
《軍旗をめぐり戦うアラブの騎士たち》一八五四年
ダラス　美術館

図4――テオドール・シャセリオー
〈アラブ人の男〉一八四六年
パリ　ルーヴル美術館

ウジェーヌ・ドラクロワ
図5——《室内にいるアルジェの女性たち》一八四七年
モンペリエ　ファブル美術館

ウジェーヌ・フロマンタン
図6——《サギ撃ちのアラブ人たち》一八六五年
シャンティイ　コンデ美術館

プロスペル・マリヤ
図7——《カイロのエズベキヤ通り》一八三三年
ザンクト・ペテルブルク　エルミタージュ美術館

ぼくはすべての事柄に苦味があってほしいと願っている。舞台での大成功のまっただ中に永遠に続く野次の口笛があってほしいし，熱狂の中に深い悲しみがあってすらよい。ヤッファを思い出す。あの都市に足を踏み入れたぼくは、シトロンの香りと死体のひどい悪臭を同時に嗅いだ。壊れた墓から半分腐った骸骨が顔をのぞかせる横で、頭上には緑の低木から金色の果実がぶら下がっていたんだ。どれほどこの詩情が完全なものであるかわかるかい。偉大な組み合わせだ。想像力と思考が求めるものがすべてここでは満たされている。（「ルイーズ・コレへの書簡」一八五三年三月二七日付・畑浩一郎訳参考）

現代の一般的な旅行者であれば、こうしたロマン主義的嗜好を共有することはなく、むしろ英国詩人のアーサー・ヒュー・クラフと似た省察に身を任せるのであろう。いまから一世紀前にクラフがローマにいたころ、イタリア南部の都市の多くは、エジプトほど極端でないにしても同じ等級の、むしろ同じ無秩序の、惨めでわびしい様相を呈していた。ところがクラフは、ローマのことをこう書いていた。

おお帝国の地、芸術と愛の国よ、そなたは私になにを見せてくれるのか。神々が踏みしめる空は頭上に、豚が歩く大地は私の足もとに！　ああ、すべての場所とかたちと種類において、あらゆる思考や思想をこえて、優美なものは不潔なものと、威厳は悪臭を放つものと組み合わされた！
おお、たっぷりと汚れたたっぷりと日に焼かれた、活力にあふれ、燃え上がり、肥沃なそなたよ！　これらは決まった条件なのか、北方の巡礼者がそなたのエーテルのような大気を吸い込み、そなたが蓄えた古き伝統をすべて飲み込むための。われらは冷静で、できるなら清潔であるべきなのか、あるいは足首まで泥に浸かりながら立つべきなのであろうか、この古典の土地では。（'Resignation - to Faustus', 1849）

アルプス以北からの旅人が一世紀前にローマについて言えたこと、あるいはディケンズ自身が同時代のロンドンのスラム街について描写できたことは、今日のエジプトにも言えるのかもしれない。また、いったいなぜゆえにロンドン、パリ、ローマが徐々に人間の生のもっとも悲惨な側面を排除するようになり、他方でエジプトでは汚物のみならず、庶民向けに売り買いされる食べものまでが、忌まわしい静物画として目にとまりつづけるのかと、私たちは問いなおしてもよいかもしれない。どうしたら人はあれほどぎりぎりの暮らし向きを、洞窟か廃墟同然のあばら家を甘受できるのであろうか（図8）。都市の幹線道路沿いでも、半壊した家、荒廃した家、未完成の家が新しい建物の横に平然と放置されているのをしばしば目にする。そうした新築の建物もやがて全般的な惨めさに順応していくのである。たとえば、カイロの古いムハンマド・アリー街道——現在アル・カーヒラ通りと名を変えた——はアーケードがついた大通りで、一世紀前にエジプト副王(ヘディーヴ)のイスマイル・パシャにより開通した（図9）。この道路と一九世紀の住宅地は、今では廃墟と化し嫌悪をもよおさせる。

経済的、政治的な理由をあれこれもちだすこともできようが、エジプトにかぎらずほかの南の国々も同様に、現地住民の低い生活水準を説明する第一の理由は、まさに空の祝福された晴朗さである。天候の過酷さは人間を働くように、自分たちの状況を向上させるように、進歩を実行するように仕向ける。進歩は、ある面でいくらでも非難できるかもしれないが、もっとも根本的で触知可能な、あるいは嗅ぎ分けられるかたちにおいて打ち消しがたく望ましいものである。

英国の作家チャールズ・ラムの表現をくりかえすなら、人間がプロメテウスのような巧妙さと大胆さをもって罪を犯し、地上の楽園から締めだされたのは、大いなる僥倖であった。われわれ西洋人は、金属を鍛えるように何世紀もかけて進歩をかたちづくった。中世にわれわれを凌駕していたアラブ人はそののち立ち遅れたままで、これまで変革の推進に指一本動かさなかったのに、いまになって進歩を押しつけられているように見える（図10・図11・図12）。その結果、ロマン主義的な要素のまったくない、原始的なものと産業化されたもののコントラストが生まれる。この対

図10———カイロ旧市街　アズハル・モスク周辺

図8———貧困地区の非合法建築　カイロ

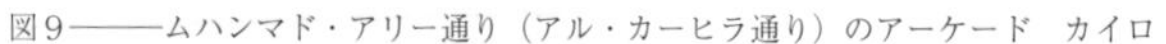

図9———ムハンマド・アリー通り（アル・カーヒラ通り）のアーケード　カイロ

図11———タハリール広場　一九四一年　カイロ

図12———タハリール広場とザマーレク島　一九六〇年代　カイロ

立は「偉大な組みあわせ」の源泉ではなく、ただの混乱の源でしかない。カイロが見せる数多くの顔は、ロートレアモンが考えだした有名な邂逅を、すなわち解剖台の上の日傘とミシンの出会いを想起させるのである。

（一九六四年／新保淳乃）

カイロのモスク

エジプトには、天と太陽、そして神殿の扉口に刻まれた有翼の太陽神のように、明るく輝かしい魂が存在する。そしてまた、古代のエジプト人たちの呼び名にしたがえば「分身」(doppio)、すなわち「カー」という別の魂も存在する(図1)——彼らが信じていたところでは、この分身は全人生にわたって人間に寄り添い、人間の死後は、身体の永遠性を介して、大地と交流するようになる。エジプトの、この暗くて密やかな別の霊魂は、あらゆる場所に潜んでいる。その働きは、いわば壁の上の硝石であり、いわば家具や小梁のなかの小虫や白蟻である。それはいわば、古い家屋全

図1——《第一三王朝ホル一世のカー像》紀元前一七六〇年頃　ダハシュール　アメンエムハト三世のピラミッドより出土　カイロ　エジプト考古学博物館

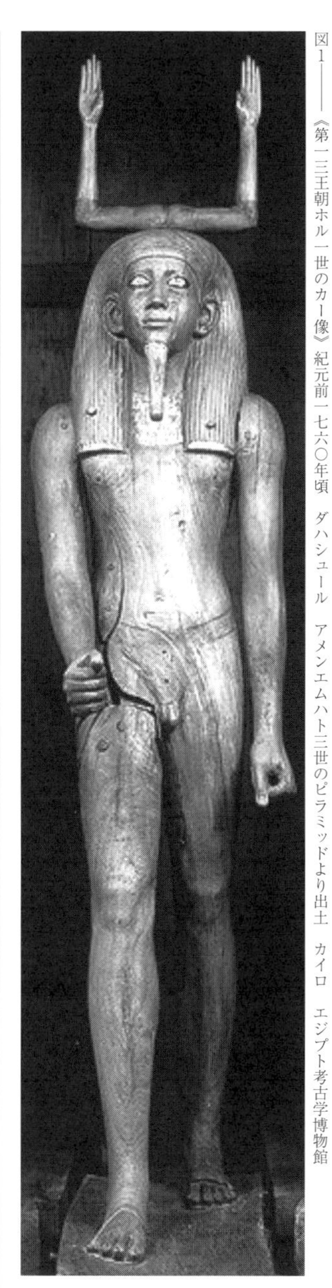

図2――ナイル川中州（ザマーレク）からガーデン・シティの眺め
カイロ

図3――カイロ・ヒルトン（現フォーシーズンズ・ホテル）
一九五八年開業
カイロ　ガーデン・シティ

図4――ナウーム・シェビーブ設計
カイロ・タワー　一九五六年〜六一年建設
高さ一八七メートル　カイロ　ザマーレク地区

図5――タハリール広場
左奥にアラブ連盟　右奥にエジプト考古学博物館
一九六二年撮影　カイロ

体を修理して、窓枠を補修し、壁を塗りなおしたのちに、執拗な傷がふたたび目につき、染みがふたたび広がり、逃れようのない悲惨な情景がふたたび姿を現わすようなものである。

カイロのナイル川に面した地区は、現代のいかなる近代的な都市にも匹敵しうるであろう。実際、それは「庭園都市」（Garden City）と呼ばれており、中世のロマネスクやゴシックの都市の壮大な大聖堂に劣らず、現代の大都市には不可欠なヒルトン・ホテルを擁している（図2・図3）。そこには、フランス語で「懸崖（川沿）の道」（corniche）と呼ばれるような、美しいナイル川の岸辺があり、そして黄金の縁飾りのついた棕櫚の幹のような、夜間に点灯されるきわめて高くほっそりした塔がある（図4）。しかし、それはミナレットではなく、展望レストランになっている。

カイロのこの地区は、この九月の終わりと一〇月の初めには、いつになく陽気な賑わいを見せていて、非同盟国会議のために、ふんだんに国旗で飾りつけられていた。しかし、この多くの国旗は、わたしが幼少期に世界の国々のすべての（七〇に満たない）旗が呼び起こしたほどの感慨をわたしには与えなかった。個人的には、わたしは、その奥にエジプト博物館が建っている大きな広場に、味気ないどころか、恐ろしい印象をもった（図5）。この広場は全体が杜撰な現代的建築物に囲まれており、その各々には光り輝く徽をつけた金属製の骨組みが載っている。そこでは、市民的で秩序立った、清潔な世界へと進む途上であるという意図を、なんとしてでも認めさせようと躍起になっているかのようである。

しかし、すでにこの大広場の舗装は起伏を、掘られた空間を、そして不注意で迂闊な歩行者に対するあらゆる種類の落とし穴をそなえている。この都市の古い中心街へと、オペラ広場を通って（図6）、あるいはローマのピッソラーティ通り（銀行、航空会社、百貨店）に少し似ているカスル‐エル‐ニル通りを進んで入っていくと（図7）、少しずつ、カイロの「分身」がその薄暗い存在を示し始める。そしてあなたには、オペラ広場で一人のアラブ人が、メッカの方向を向き、花壇の上で四つん這いとなり、水槽から噴出した水を浴びながら、周囲に轟く交通の騒音を気にもとめず、夕べの祈りを唱えている光景がピクチャレスクなものと見えることであろう。しかしながら、あなたがいくつかのモ

図6——オペラ広場　一九六〇年代撮影　カイロ

図7——カスル・アル・ニル通り　一九四二年一一月撮影　カイロ

図8――スルタン・ハサン・モスクとマドラサ　一三五六年～六三年　カイロ
図9――スルタン・ハサン・モスクとマドラサ　イワーンの大アーチに囲まれた中庭　カイロ
図10――ムハンマド・アリー・モスク　一八三〇年～四八年　カイロ　シタデル
図11――ムハンマド・アリー・モスクの時計塔　一八四六年　カイロ

スク――二つのきわめて有名で容易に近づき親しみやすい、驚くべき凱旋アーケードをそなえる古いスルタン・ハッサンのモスク（図8・図9）と、フランス王ルイ・フィリップが贈った奇妙な時計塔がある、シタデル［要塞］の一八世紀のムハンマド・アリー・モスク（図10・図11）を除いて――を訪れようとするとき直面する、ピクチャレスクなものとエジプト的なものは、あなたを鼻から圧倒してしまい、それらへの訪問については、ただ近づくことの困難さだけが記憶に残るであろう。

チェーザレ・ブランディは、その独創的で鮮やかな印象雑記（『緑のナイル』［*Verde Nilo*, Bari, Leonaldo da Vinci Editrice, 1963］）の、シナイ山についての章で、現代の旅行者たちに対して、細かな点まで執拗に、不満を吐露しているが、モスク巡りについての別の章では、このような近づきがたい距離感について一言も語っていない。おそらく彼は、そこへきわめて少ない人たちと一緒に赴いたので、気にとめることもなく通りすぎたのであろう。

われわれローマ大学のグループの、同僚のドナドーニによって見事に計画されたこのエジプト旅行は、大所帯であった。総勢四〇人ほどで、モスクの見いだされる民衆地区では、ナポリ東洋大学でアラビア語を教えているサルネッリ教授がガイド役を務めてくれた。四〇人――その大部分が女子学生――が注意を惹かずに通り過ぎるのは不可能であった。カイロのみならず、世界の多くの場所でも、われわれのグループは、人目を惹く中心であり、イギリスで言われるように、すべての視線の「的」（cinosura）であったにちがいない。

檻の中のライオンとそれを観ている者たちとが、立場をとりかえるという古い逸話がある。アラブ人たちにとっては、おそらくわれわれにとってアラブ人がピクチャレスクである以上に、われわれ自身がピクチャレスクであったのである。われわれに対して彼らは、われわれを「ジューレップ」［甘い飲みもの］と呼ぶ、お世辞を浴びせかけるが、しかし、それは本当に「甘い」ものであったのだろうか、否。ところで、彼らにとって外国人たちは、ピクチャレスク以上に、施しの格好な源泉である――神はそれが施しなどではないことをご存知なのであるが。というのは、外国人たちは、もし一人の子どもに一ピアストルを施せば、それだけではすまず、すべてを失うことになるのを知ること

図12——ジョルジュ・アントワーヌ・ロシュグロス《民衆によりローマ市中を引き回される皇帝ウィテリウス》一八八二年〜八三年
サンス　美術館

になるのである。とはつまり、その地区のほかのすべての子どもたちにとりかこまれ、彼らから逃れるすべのないという顛末になるのである。

しかし、やっと施しの行為が終わったとしても、アラブ人の子どもたちは、モスクのように揺るぎない持続性で、さらに執拗に求めてくる。小悪魔たちは徒党を組み、外国人たちの背後から襲いかかってこう叫ぶ。「おかね、おかね、ありがと」（Money! Money! Thank you）。それから、現代ローマの「死んじまえ」（Va'a mori ...）という言葉に相当するアラビア語が続いて放たれる。そして、首飾り、小帽子、粗雑な偽の古物、切手の袋をもって歩き回る物売りたちは、たえず眼下に自らの商品を携えている。いくつかのモスクへの旅程はまさに「十字架への道」（via crucis）であり、それは『サランボー』（*Salammbô*）におけるカルタゴの通りでの「マト」（Mâtho）の責め苦のことを、あるいはジョルジュ・ロシュグロスの典型的な絵画における、テヴェレ川へと屠殺されるために引かれていく若い雄牛（皇帝ウィテリウス）のことを考えさせる（図12）。

子どもたちは脚のあいだにもぐりこみ、つかみ、衣服をひっぱる。清潔さを気にかける住民とはまったく異なる彼らにとってもっとも清らかな部分がなにかをわたしは知らないが、彼らとの接触をそれほど気にしない人びとにとっても十分に煩わしいものであった。ときおり、警官がわれわれを救おうとして最善を尽くして、警棒をもちいて子どもたちを追い払った。

このような状況下で、われわれはイブン・トゥールーン・モスク（図13）とエル‐ムアイヤド・モスク（図14）を訪れた。後者は壁を背後にしており、そこへは、鶏籠の山を頭に載せて平衡をとりながら急ぐ荷物運搬人たちが衝突し、揚げものと汚物と香料の匂いがマンゴーの甘ったるい香りと入り混じるスーク［青空市場］を通って到達する（図15）。アク・スンコル・モスク（図16）へは、十分に幅が広い道を、朽ち果てた家屋と、お粗末な水道施設をもつ現代的家屋の一区画が立ち並ぶ人通りの多い道を通って到達する。そして、なぜかわたしは、このモスクについて、格子窓が壊れており、その口を開けた空間から、黒い衣服を着た女性たちと少女たちが顔をだしているのを、はっきり覚えている。

家屋のファサードなのであろうか。彼女たちはひとつにまとまっており、その瞳には十分に陽気さがうかがえるが、しかし全員が、優美ではあったとしても、そのことは彼女たちのすりきれた黒い衣服と埃にまみれた足によって曇らされている。

そして、なぜかわたしがバルクク・モスク（図17）について、とりわけ覚えているのは、大きな中庭と、その中庭でも、長く続く拱廊にもまして、インド産の無花果と、絶望のなかで救いを求める者の両腕のように捻れた二本の御柳（ぎょりゅう）をそなえた中央の井戸なのである（図18）。そして、「光輝に満ちた」エル・アズハル・モスク（図19）について、わたしが覚えているものは、壁龕と漆喰製のメダイヨンを覆う埃、ポーチの下にうずくまり、寝そべる者たち、祈りを捧げるグループであり、そして同じモスクの別の場所では、わたしが唯一、感嘆して凝視することになった一〇〇本の円柱からなる巨大な円蓋つきホール（liuan）のなかで遊ぼうとしている子どもたちである（図20）。

カラウンのモスクと墓地（図21・図22）の美しい漆喰装飾は、わたしの記憶のなかで、ほかの多くのものと混淆しているが、棕櫚と朽ちた葉蘭と埃っぽい空地に散らばる椰子の実が見いだされる侘しい中庭は目に焼きついている。コプト地区に近い別のモスクについて、わたしが覚えているものは、円蓋つきホールの円柱のあいだにうずくまる黒衣を着た女性たちのグループ、その中央に洗礼のための小礼拝堂を有する広大な中庭、一本のマングローブを含む数本の木々、そして悪臭を充満させる緑の黴で覆われた大きなぬかるみである。

一方、プロスペル・マリヤが、有名な絵画で廃墟として記録しているアル・ハキーム・モスク（図23・図24）は、現在は復元されており、ローマのいくつかの門のことを想い起こさせ、古代のナスル城壁とフトゥーフ城壁の二つの高貴な門の間からそこに訪れることができるはずであったが（図25・図26）、われわれはこのモスクをまったく見ることができなかった。その日は日曜日であった。城壁の側面に沿って続く掘りかえされた通りでは、民衆のサッカー・チームがいくつも編成されており、われわれのグループが決然と進もうとしたとき、一度だけであるが、われわれはたんに煩わしいだけではなく、また敵対的な群衆にとりかこまれた。そして、一人の警官がわれわれに踵を返して戻

図13――イブン・トゥールーン・モスク　八七六年～八七九年　カイロ

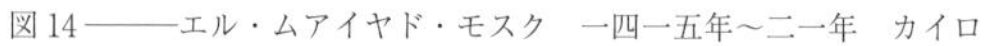

図14――エル・ムアイヤド・モスク　一四一五年～二一年　カイロ

図15———エル・ムアイヤド・モスク周辺のスラム　カイロ

図16———アク・スンコル・モスク　一三四二年創建／一六五二年～五四年改築

図17――スルタン・バルクク・モスクに向かう通り　ベイン・アルカスレーン地区　カイロ

図18――スルタン・バルクク・モスク　中庭の井戸

図19――エル・アズハル・モスク　九七二年創建　カイロ

図20――エル・アズハル・モスク　祈祷ホール　カイロ

図21――スルタン・アルマンスル・カラウン廟　一二八四年～八五年　カイロ
図22――スルタン・アルマンスル・カラウン廟　内部　カイロ
図23――プロスペル・マリヤ《カイロのカリフ・ハキーム・モスクの廃墟》一八四〇年頃
パリ　ルーヴル美術館
図24――アル・ハキーム・モスク　九九〇年～一〇一三年／一九八〇年再建　カイロ

図25——ナスル城門　カイロ
図26——フトゥーフ城門　カイロ
図27——死者の町　カイロ

るように警告した。

　われわれはアル・アズハル・モスクでおこなわれている祈願を、祈る人びととミフラーブ〔礼拝の方向を示すためにモスクの壁面に設けられたくぼみ〕との空間を通りすぎることによって妨げたが、われわれはなにも言われなかった。しかし、われわれがサッカー・チームを妨げるような恐れが生じたときには、われわれはあやうく石を投げつけられるところであった。これもまた、神殿とともに現在を生きる、ひとつのありようである。

　ところで、わびしさの最たるものは、おそらくネクロポリスにおいて感じとれるであろう（図27）。ヨーロッパの人はだれも、それに類するものを、われわれの墓地のどれひとつにも想像することができないにちがいない。一階建ての小さな家屋で覆われた広大な空間の、そのあいだを汚物に満ちた、掘りかえされた通りが蛇行する様子を想像していただきたい。これらは、小さな家屋をさらに貧しくしたように、あるいはわれわれが海水浴場に建てる簡単に解体可能な経済的なバンガローのようにも見える。これらの家屋の各々はなんと埋葬礼拝堂なのである。そしてなんらかの記念日には死者たちの家族がそこに住まうのである。わたしが覚えているのは、さらにこれらの、埃で灰色となった鎧戸をもつ朽ち果てた小さな家屋であり、ここでもわれわれの周囲にグループをなして子どもたちの群れがなぜかまとわりついた。それがどうしてなのかはわからない。というのも、この場所はほとんど砂漠であり、あの美しいカイトバーイ・モスクとその一五世紀のミナレットなどではないからである。

わたしが思うに、チェーザレ・ブランディは、わたしにスペインである印象をうえつけ、そしてグラナダのヘネラリフェ［アルハンブラ宮殿の離宮］――わたしには少し冷たく、散漫であると感じられたが――で、わたしを感動させたアラビア芸術について、その秘密の一端を示したのである。とはいえ、これらのモスクのいくつかは、一般的には傑作として称讃されている。「失われたものについては、このカイロというアラブ人の都市では否定しがたい。一方、それがアンダルシアでは残存している。すなわち、流れる水、花々をつける樹木、空気全体をきわめて軽い、夜の香りで満たすジャスミンの花棚。だが、これらエジプトのモニュメントは、たとえ保存状態がよくても、だれかが永眠した閉じられた部屋のなかのように、自己放棄をゆきわたらせ、停滞した埃っぽい空気を感じとらせる」。きわめて控え目に言ったとしても、それはまごうことのない真実である。

漆喰装飾と壁龕からなるアラブ人の芸術は、巣箱のように繊細で洗練されているが、評判を得るためには晴朗さが必要である。一方、そのきわめて巧みな堅牢さは、埃にとって理想的な巣窟となる。「わたしは太陽である」とエジプトの魂は言う。そしてその「分身」はこう言う。「わたしは埃である、わたしがなすがままにせよ」。

（一九六四年／伊藤博明）

刺青を入れた神殿

実存主義者ならば、D・H・ロレンスと意見をともにして、エトルリア人を、気息のように自由な、彼らの芸術の気取りのなさのゆえに、また時の永続性に顧慮することなく、生の充満の凝縮された瞬間に彼らが与えた重要性のゆえに賞讃することができるであろう。このイギリスの小説家によれば、ギリシア人は印象を与えることを求め、なおさらゴシックは精神に印象づけることを求めた。だが、エトルリア人はそうではなかった。

彼らは、「花々のような小ぶりの、優雅な、壊れやすい、束の間の」木製の神殿を建てた（図1）。「われわれは競技場にたどりつき、そのなかで石塊の巨大な建造物に疲れを覚えて、そして、定まらない、変わりやすい生を維持する方が、大地の表面にのしかかった重いモニュメントにその生を閉じこめようとするよりもよいことであることを理解する」。

なぜ人間は、功成り名遂げることをかくも切望するのであろうか。なぜ、壮大な地位、壮大な行為、壮大な言語、壮大な芸術作品への欲求（リビドー）が存在するのであろうか。最後には、すべてはペテンと退屈に変わる。何が生き生きとした、柔軟なものなのか、そして、何が長く存続することができず、障害と退屈に変わるのか、われわれに言ってもらいたい。

図１———アラトリのエトルリア神殿　一八八二年発見、一八八九年〜九一年復元
ローマ　ヴィラ・ジュリア　国立エトルリア美術館

図２———《天界の神々の前のラムセス三世》『大ハリス・パピルス』二四葉
紀元前一一五〇年頃　テーベ出土　大英博物館

図3———アメン大神殿　紀元前一五三〇年頃〜紀元前三二三年
カルナック神殿複合体　ルクソール

図4———ラムセス三世の聖舟祠堂　紀元前一二世紀前半
カルナック神殿複合体　ルクソール

図5——《メムノンの巨像》紀元前一三五〇年頃
珪岩　高さ一八メートル
アメンヘテプ三世葬祭殿入口跡　ルクソール
一八六二年　フランシス・ベッドフォード撮影

図6——ラメセウム（ラムセス二世の葬祭殿）紀元前一三世紀
ルクソール　テーベのネクロポリス

図7——ラメセウム　オシリス神殿柱廊と倒壊した巨像
一八五七年～五九年　フランシス・フリス撮影

ロレンスによれば、エトルリア人はこのようであった。彼の解釈が全面的に正しいとは言えないかもしれない。しかし、古代のエジプト人がこのようではなかったと全体を定義するにはきわめて重宝である。彼らは永続することを崇拝しており、永遠を構築できると信じていた。あるパピルスは、三〇年にわたって統治したラムセス三世によって創出された建造物とその事業を賞讃している（図2）。この弁論はアメン神に向けられている。

私は、汝の威厳が永遠に刻まれた汝の偉大な名前をともなう、彫刻家たちによって刻まれたアラバスターと砂岩の山々にも匹敵するモニュメントを積み重ねた。私は、汝の〈秘密の地平線〉を、汝の神性が顕現する、汝の町テーベに建造した。おお、神々の主である汝よ。〈アメンの神殿の中の、ヘリオポリスの主であるラムセス――生命、繁栄、健康が彼に付与される――の家〉。それは太陽を支える天空のごとく永続する。私はそれを建造し、それを砂岩によって装飾し、それに純粋な黄金の偉大な扉をとりつけた。私は、その宝蔵を私の手が抱える事物で満たすことによって、毎日の捧げものとした（図3・図4）。

アメンホテプ三世の同時代人であった建築家、ハプの息子のアメンホテプはこう述べている。

私の主人は私を、さまざまな仕事の指導者に命じた。私は永遠に王の名前をとどめた。私は別の機会になされたことを模倣しなかった。私は王のために、珪岩の山を造営した。だれひとりとして、この世界が秩序づけられた時代から、これをなした者はいない。私は高さ四〇キュービットの王の彫像のための作業を指揮した（図5）。

「永遠に」。ロレンスは不快な顔を歪めるであろう。そして、シェリーは、シケリアのディオドロスによるラメセウム（図6）の記述と、オジマンディアスと呼ばれたファラオの崩壊した彫像（図7）から想を得て、その彫像の基底部に読みとることができる言葉を語ったのちに、次のように結論するであろう。

> わが名はオジマンディアス、王の中の王。わが仕事を見よ、権能のある者たちよ。そして、それと競合することを諦めよ。……ほかにはなにも残っていない。この巨大な仕事の残骸の周りには、かぎりなく虚しい、侘しく平らな砂地がはるか遠くまで広がっている（'Ozymandias,' 1818）。

われわれは、当座のあいだ、シェリーが描きだそうとする人間的事象の儚さと虚しさの教訓は忘れることにしよう。そして、いまは、砂地のかぎりない広さと、雲ひとつない天空のかぎりない広さに想いをはせよう。類似した光景が、おそらく人間の側からは、類似した永遠性や類似した不動性を獲得する企てを要請することはなかった。あらゆる真の建築は風景の表現である。それゆえ、あらゆる環境に適用するように一様に標準化された現代建築は、非自然的で非人間的なのである。

建築家マルセル・ブロイアーは、「世界の建築」シリーズのエジプトに捧げられた一巻（Jean-Louis de Carnival, *Egypte: époque pharaonique*, Fribourg, Office Du Livre, 1964）の序文において、現代建築とエジプト建築を接近させる数多くの共通点を「驚嘆しつつ」見いだし、一種の言葉遊びに興じている。

> 側面が二四〇メートルある三角形の角と角を重ねて並置しようと試みた、現代とは別の時代があったのであろうか。大胆さと叙情が、巨大な創造物において結びついている。……広大な表面、単純な形態、根本的に幾何学的要素の対置によって、古代エジプトの建築は表現されている。現在、同じ探求が現代の具現化の中心を占めており、それには、虚空の上に、一五〇〇メートル以上にわたって延長された鋼鉄のケーブルが創出するリズムが、ある

いは、二四〇メートルの高さと幅で聳えたち、ガラス、鋼鉄、コンクリートのファサードをそなえた厳密な構造体がともなっている。

ピラミッドとパーク・アヴェニューの摩天楼を並置する、このような人を惑わすような議論も、現代的価値の、あるいはむしろ、量的価値の観点から採りあげられた、「世界の建築」シリーズのこの巻の写真の証拠と美しさを弱めることはない。それゆえ、このスイス人の著作は、エジプトに赴いたことのない者に対して、ファラオの建造物の眼も眩むような厳密さという理念を与えうる唯一のものとなる。

しかし、私のようなエジプトを訪れた者にとっても、ファラオの建築の価値は、一見して明らかというわけではない。そこにはときおり、外的な諸要素が影響して混乱させている。ギザのピラミッド群が隔絶感を欠いているのは、それらは、片側からしか、砂漠のなかに聳えたっているように見えないのであり、他の側には、周りに食堂、夜の娯楽場、そして恥ずべき模造品である、ファルーク一世のレストハウスが集中しているからである（図8）。ピラミッド群は旅行者たちの目的のために搾取されている（ここにおいても音と光が、ナイアガラを照らすようなさまざまな色彩の光が存在する）。ルクソールも隔絶感を欠いており、内部に黴が生えたモスクでは満足できないかのように、いまや、近接したニュー・ウィンター・パレスのホテル群がルクソールを辱めている。ガイドが指摘する、円柱群とパピルスの束やアスパラガスの束との偶然の類似、あるいは、ひょっとしてゴリラとリバティ様式のあいだに生みだされるものの示唆――これらはすべて驚嘆を減じるために言及されるのである。

さらに、もしわれわれがこれらエジプトの神殿を、ギリシアの神殿と同様に、元来の状況において眺めないとするならば、多彩色の消失によってギリシアの神殿は失うよりも得るものが多かったと言えるであろう。一方、エジプトの神殿にとって、これはおそらく真実ではないであろう。閉じたパピルスの筒状の円柱はずんぐりしており、その不恰好な基底とその石の色彩は、夜明けと日没の光のなかで生気を帯びず（宵には、海緑色の天空に対してオレンジ色に染

図8――ギザのピラミッドと近隣の観光施設
図9――アメン神像のあった至聖所を照らす冬至の太陽
カルナック神殿複合体　ラムセス三世の聖舟祠堂

まる）、それは沈黙しているように、そして真正なものではないようにさえみなすことができる。とりわけそこには、完璧な建造物では数学的な叡智によって計算されている光と影の効果が欠けていた。いまでは、いかなる方策によって、光が、ある特定の瞬間において神とその内陣のなかで触れて、内陣に生気を吹きこみ、こうして、祭儀的な機能を実現するのかが、すなわち、太陽の円盤と神性の彫像の一致を実現するのかが知られている（図9）。

エジプトの神殿のこの構成についてわれわれは、エジプト史の後期の建造物、たとえば、エドフのプトレマイオス朝の建造物において理解しうる（図10）。この建造物は紫檀色の一個の石から造られており、ただちにわれわれを圧倒する。その色彩によって、そして、殻のようにそれを包みこむ無傷の壁が与える、世界からの聖なる隔絶感によって圧倒する。これらエスナ、エドフ、オンボスの、プトレマイオス朝とローマ時代の神殿は、より古い建造物よりも、少なくとも私の感性には容易に合致すると申しあげたい。

ただし例外はサッカラの建造物であり、それは人類が創造した最初の石による建造物であるがゆえに、また、凹凸感のある稜堡の優雅さのゆえに、あたかもわれわれ自身がジェセル王の時代の趣好に染まっているかのような、「認識の衝撃」（shock of recognition）を与える（図11）。王の鼻の低い顔（図12）は、ダーウィンの窪んだ眼窩の奥からわれわれを眺めている。もうひとつの例外は、カルナックのセソストリス一世の、魅惑的な小さな四阿（あずまや）（図13）であり、それについては、ローマの「平和の祭壇（アラ・パキス）」を護っている小屋の哀れな建築家が現代のパロディをひとつ提供している。

この小神殿の連続する壁面は、アメン神に供物を捧げさせる王を示す場面で装飾されている（図14）。そしてこの神はミン神の男根が勃起した姿で表現されている。欄干の外側に彫られているのは、さまざまな地方の寓意的表現と、各地の範囲とナイル川の増水の一般的高さを地域別に記したリストである（図15）。これらの浮彫りに内在する──祭儀的で官僚的な──意味が、宝石のような洗練さを具える、それらの美的な効果を損なうことはまったくない。

同じ魔術的魅力は、はるかに粗雑な芸術によってではあるが、プトレマイオス朝とローマ時代の神殿を覆うヒエログリフにおよんでいる。たとえば、エスナの側面の壁の端には、一方はすべてが鰐で、他方はすべてが雄羊である

図10———ホルス神殿　紀元前二三七年〜紀元前五七年　エドフ

図11———ジェセル王のピラミッド　紀元前二六五〇年頃　高さ六二メートル　サッカラ

図12――《ジェセル王座像》彩色された珪岩
紀元前二六八六年頃～紀元前二六一三年頃　高さ一四二センチメートル
カイロ　エジプト博物館

図13――センウスレト一世の白礼拝堂（復元）
紀元前一九七一年～紀元前一九二六年
カルナック　野外博物館

図14――《アメン神に供げ物をするセンウスレト一世》
センウスレト一世の白礼拝堂浮彫　カルナック　野外博物館

図15――《アスワン、カイロ、ナイル・デルタの浸水高を示すパネル》
センウスレト一世の白礼拝堂　浮彫り　カルナック野外博物館

図16———クヌム神殿　紀元前一〇七〇年～三五〇年　エスナ

図17———《鰐の神セベクに供げ物をするドミティアヌス帝》 一世紀　クヌム神殿　エスナ
図18———《神々の牡羊に香を焚くドミティアヌス帝》 一世紀　クヌム神殿　エスナ

図19――《女神官タクシト》 紀元前六七〇年頃 アレクサンドリア近郊出土 青銅・銀 アテネ 国立考古学博物館

図20――再建工事中のアブ・シンベル神殿 一九六四年～六八年

空想的なヒエログリフが描かれている（図16・図17・図18）。このより粗雑な芸術における多彩色のわずかな痕跡は（トラヤヌス帝は花瓶に似た青色の王冠をかぶり、雄羊の頭部をもつ神に花束を捧げている）、元来の光景の効果がいかなるものであったのかを想像させるのに十分であろう。それは、『魔笛』の光景である。

宝石の装飾的な綿密さによってほどこされた、刺青を入れた多彩色の壁面と円柱を具えるこれらの巨大な神殿は、巨大なものと優雅なものを、荘厳なものと流麗なものを、すなわちメムノンの円柱群とトゥトアンクアメンの宝石類を、ホルスによる河馬への勝利を記念する重々しい儀式と、ある少女が「水浴びしたときの、きわめて繊細な本物のリネンのトゥニカの美しさ」を語る軽い抒情詩――言葉によって、精巧な浅浮彫りの、透明の衣服を身につけ、それに紐を結んだ多くの女性像の優美さを描く――を結びつけることができた文明の至上の表現である。この意味において、タクシトの青銅の小彫像は、小さな塊状（約七〇センチメートル）ではあるが、銀のヒエログリフがはめこまれており（図19）、いわば古代のエジプト人の精神の摘要である。

しかし、この芸術は、永遠に存続するために意図的に創造され、それ自体が消すことのできない刺青として大地に刻みこまれたが、現在ナイル川の地盤を強化している技術的構造物の脅威に耐えることができるであろうか。ニューヨークのクロイスター博物館のように、解体され再構築されたカラブチェクの神殿から、アスワンダムの南まで、砂漠の岩石と導入された産業用設備という地獄の光景が広がっている。さらに南では、別のヌビアのアブ・シンベル神殿が、コンクリートの核を挿入するといういわゆる再建造によって切り刻まれている（図20）。八〇人ほどの技術者と作業員が現在働いており、彼らは、この人工的補完物の巨大な作業のために、光と熱を砕く鋼鉄製の堰によってとりこまれている。一世紀前にエレファンティネが、続いてフィラエが、そしていまはアブ・シンベルが。老いたエジプトは一本、一本と歯を失っている。

（一九六四年／伊藤博明）

偉大な者たちと卑小な者たちの痕跡

エジプトの大地という外被の下には墓が存在している（図1）。太陽の光の下にもたらされたモニュメント群は自らの光輝の多くを失ったが、しかし墓のなかには驚異が存在している。そこでは、色彩が生彩を、人工的な光によって、あるいは、入口に巧みに設置された鏡の効果によって明かされる生彩を保っており、それは装飾された壁面にマジック・ランタンの古の魅力を付与している。石壁の上には言葉が読みとれるであろうが、それはたんに言葉というだけではなく、地上的な身体性を含んだものとしてとどまっている――死者たちがけっして、実体性も地上的な欲求も失っていないかのようである。ヒエログリフとは諸事象のミイラであり、防腐処理がほどこされ、認識することが可能な対象であり、けっして表徴の抽象化のなかに解体されてはいない。そして、死者たちが墓から出たり入ったりする能力をもっているように、ヒエログリフによって表象されたこれらの対象は、いわば日本の造花のように、麻痺された状態から豊かな生へくりだそうとしている。

こうして、彫刻がほどこされ、彩色されたこれらの壁面からは、ある種の亡霊のような、あふれる生命性が発出しており、それは地上での輝かしい実在へのノスタルジーというロマン主義的な言葉で描写しうるような状態でさまよっている。一般的には、それらの描写は死者への食物の奉献と、この奉献から生じることになる過程、すなわち、植物的であれ動物的であれ、播種と生育から完全な生産物になるまでの過程をともなっている。適切な奉献がなされな

図１―――王家の谷　エジプト　ルクソール

図２―――セティ一世の墓　墓室Ｊ　第一九王朝　紀元前一二七九年頃
エジプト　ルクソール　王家の谷

図３―――《火の湖を支配する冥界神バビ》
アメン神詠唱者ナウニの「死者の書」パピルス　紀元前一〇五〇年頃
メトロポリタン美術館

図4――セティ一世の墓
《門の書　船に乗る太陽神ラー》　墓室J　右壁
エジプト　ルクソール　王家の谷

図5――セティ一世の墓
《周極星》　墓室J　天井
エジプト　ルクソール　王家の谷

図6――セティ一世の墓
《門の書　蛇の寝台に載るミイラを引く「時」》
柱の間F　壁面
エジプト　ルクソール　王家の谷

EGYPTIAN
HALL
DAILY
DUDLEY
GALLERY
PHILOSOPHERS
STONE
DAILY 3-8
IMPROVED
ANIMATED PHOTOGRAPHS
THE FINEST IN LONDON

図7——セティ一世の石棺　紀元前一三〇〇年頃　アラバスター
ロンドン　サー・ジョン・ソーン博物館

図8——ピーター・フレデリック・ロビンソン設計
〈エジプシャン・ホール〉一八一二年
ロンドン　ピカデリー　一九〇〇年頃撮影

図9——ベルツォーニが企画したセティ一世の墓の複製展示　一八二一年　版画
ロンドン、エジプシャン・ホール

図10——《ジョン・ソーン卿自邸、セティ一世の石棺》
Illustrated London News, 1864

図11——セティ一世の石棺
ロンドン　サー・ジョン・ソーン博物館　石棺の間

かったために、「カー」（Ka）、すなわち、死後の生を保証する個人の「分身」が排泄物を食べさせられるという恐怖が、墓の壁面を活気づけている、この生命の豊潤さの源泉である。死者は栄養失調におちいるという恐れを、そして自らの名前を忘れるという恐れを抱いていた。

壁面は来世の導き手であり、目録であり、死者が彼岸において経験するであろう出会いを示していた（図2）。すなわち、行列を組むのが常である神々と神霊で、後者は火の湖を統べる狒狒（冥界の神バビ〔図3〕）のように、グロテスクな姿態さえとっていた。しかし、儀礼的な、官僚的な、機械的なこれらの構成を伝えるものはすべて、今日の無知な観者から見落とされている。というのは、彼らはそこに、際限のない数珠におけるような、モティーフの強迫観念的な反復を見いだすだけだからである。その要素とは、小舟、行列、渦巻き状の尾をもつ蛇、河馬の背中に乗る鰐、牡牛のイメージがかぶさる、仰向けの人間の姿、そして星座である（図4・図5）。さらには、一本の鎖でミイラを引きずる一二人の「時」（図6）があり、これらのものはすべて、松明の古の煤によって黒ずんだ、星辰をちりばめた円蓋の下で、ひとつの曖昧で、謎めいた世界をつくり、たしかに昨日塗られたかのような色彩は保っているが、諸形象の意味は、口で表わせないほどわれわれとは無縁で、隔絶されている。

テーベの王家の谷にある、このセティ一世の墓のなかにはある石棺（図7）があり、それはジョヴァンニ・ベルツォーニによっていったん闇へひきずりこまれたが、危険に満ちた旅によって地上に戻り、一八二〇年の春に、ロンドンのピカデリーにある、舞台装飾のようなエジプシャン・ホール（図8・図9）に詰めかけた群衆を驚嘆させ、エジプトの流行——ロバート・サウジーは「いまやすべてがエジプト風でなければならない、淑女たちは鰐の形の装飾物を身につけ、あなた方はミイラの壁紙で覆われた部屋のスフィンクスの上に座っている」と述べていた——を醸成した。そして、すでにこの石棺が強奪されたリンカーンズ・イン地域のジョン・ソーン卿邸〔現在は博物館〕に劣らず混みあった、魅惑的なこのホールを、その塊状で神秘的な徴が刻印された相貌によって封印したのである（図10・図11）。

図12――セティ一世のミイラ　カイロ博物館

図13――ミイラの展示室
紀元前三〇五年頃の男性（上）のミイラ
紀元前二五〇年頃のファラオ（下）のミイラ
ロンドン　大英博物館

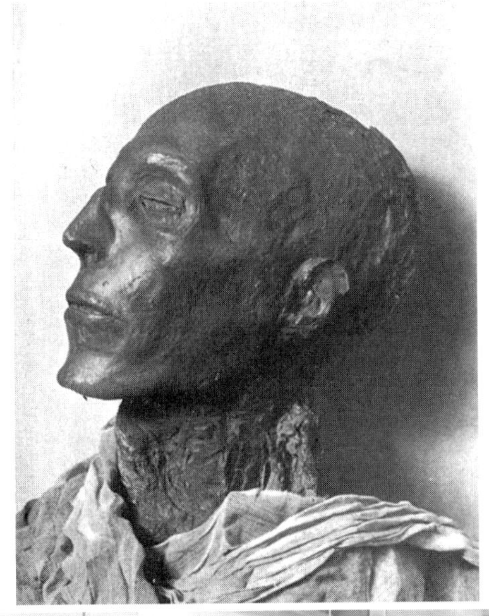

セティ一世のミイラ（図12）に関して言えば、それは現在、王のもつ威厳と、意志の強さと禁欲さという特徴が表情に保持されている唯一のもので、カイロの博物館のミイラの部屋という遺体安置所（モルグ）に置かれている。それは一七世紀の説教師たちが語るモティーフとなるもので、その時代には、ミイラの肉が薬効のあるものとみなされており、また、ミイラという人体のカリカチュアは、現世の栄光の虚しさ（ヴァニタス）についての説教に適したテーマを提供していた。殺戮され、羽根をむしられた小鳥のような頭部を見れば、歯は剝きだしのままで、顔は柘榴のように爆発し、あるいは胸がむかつくようなクリームが流れでたスフレのように崩れ落ち、鼻と眼は強力な拳によって穴を開けられたようで、皮膚は鱈のように干からびている。これらが、香水をふりかけた身体の上に、いくつかの心棒に見える驚嘆すべき宝飾品を、人間の技とは思えぬような細部の巧妙さをそなえた宝飾品を置いている王たちである。

ボリス・デ・ラシュヴィルツが編集者シャイヴィラーのために編纂した、古代エジプト人の『死者の書』（ミラノ、アッリンセーニャ・デル・ペーシェ・ドーロ社、一九五八年）は、死者が、敵たち、闇の諸力、「謀反の息子たち」から保護され、そして、神的な若い隼への変容にいたるための多くの定式的呪文を含んでいる。しかし、墓は冒瀆されたままであり、そしてミイラは世界中の博物館へと分散され、また、焼き串を刺しこまれる鶏のように処理された大英博物館のミイラのごとく、いわば解剖室のなかで、防腐処理業者の手順と四肢の奇妙な連結を示すために展示されている（図13）。死者たちは自らの身体が公共の財産になることは欲していなかったが、魔術的定式の正しい使用によって、「正当化される」と信じていた。しかし現在では、彼らのかぎりなく惨めな身体が、公共の財産に供されている。

卓越した魂の導き手たちは、死者が「あなた方が見ているように見て、あなた方が聞いているように聞くように、あなた方が立っているように立つことができ、あなた方が座っているように座ることができるように」祈る。「おお、オシリスの家で卓越した魂にパンとビールを与えるあなた方は、いまここで、パンとビールを与えよ、……に」。そして、死者の名前が続いていた。メムノンの巨像（図14）は川が氾濫する土地に建てられ座っている。これら二体の巨人ほどに悲痛が絶対化しているものはなく、自らの責め苦の場所に永遠に繋がれているかのようである。

図14――ナイル川氾濫期のメムノンの巨像　アメンホテプ三世葬祭殿入口跡
エジプト　ルクソール　一九六五年撮影

図15――「一八二〇　カルロ・ヴィドゥア、イタリア人」の文字
ルクソール神殿　玄関間の円柱

エジプトという巨大な墓地には、ファラオたちとその宮廷人たちを記念する銘記とは異なる銘記が見いだされ、それらは慎ましいものであるが、多くの読解しえない表徴のあいだにみいだされる、その判読しやすさによってヨーロッパ人は驚かされる。ある種の感動をもって――ルクソールの神殿を見学して味わったものとは異なるが――しかしそれに劣らぬ感動をもって、この神殿の円柱のひとつの上に、リソルジメントの歴史の専門家で、われわれの同僚［ローマ大学］であったアルベルト・ギザルベルティは次の文章を認めた。「カルロ・ヴィドゥア教授、イタリア人」（Prof. Carlo Vidua italiani［図15］）。一八二一年の地震の直前に、アカデミア・デイ・コンコルディのグループに属していた、このピエモンテ人の名前が、そこにローマ文字で彫られていた。そしてそのときには、著名なモニュメントへの自らの訪問の記憶をこのように残すという習慣について咎めることなど、だれの頭にも浮かばなかった。

ギザルベルティはヴィドゥアのことを同郷人として覚えていた。彼はのちに知ることになるが、実際、ヴィドゥアは著名な旅行家で、アジア、エジプト、アメリカ、オセアニアに関する旅行記を残している。そして、モルッカ諸島のひとつの島で硫気孔に入り、病気に罹って、一八三二年にアンボンで逝去した。彼は一七八五年にカザルモンフェッラートで生まれた。トリノのエジプト博物館は、彼に対して、まさにこのルクソールに関して多くを負っているように思えるが、彼の功績については言及されたことがない。

一四八二年にラメセウムに署名を残した、イギリス人H・ダフ某とギリシア人アナスタシオス某が誰であったのかは確認できなかった。レトルゼク某は一八二九年に、ハイド某は一八一九年にそこへの訪問の記憶を残している。そして（グリエルモッティの『海洋・軍事語彙集』によれば）、ダヌンツィオ的な響きがあるのは、「丘の上のピラト、フランチェスコ・ヤコーノ、ローマ、一八四一年」（Pilato in altura Francesco Iacono, Roma 1841）である。一八四一年頃には多くの署名がなされた。エスナの神殿に見いだされるものは、H・S・スペンサー某とシャルル・ユスタシュ某の署名で、後者には悪戯者が「寝取られ夫（コキュ）」という添え名をつけくわえている。

一方、一七九九年のフランス人たちの署名はまったく別の連想を呼び起こす。一八三七年から一八三九年にかけて

図16――レオン・コニエ
《ボナパルト指揮下のエジプト遠征》一八三五年〜三五年
パリ　ルーヴル美術館

Jollois
AN.7

図17――ラムセス三世葬祭殿
図18――ラムセス三世葬祭殿の落書き　エジプト　メディネット・ハブ
図19――コム・オンボス神殿　紀元前一八〇年~紀元前四七年　エジプト
図20――コム・オンボス神殿　北周歩廊に刻まれた図像　エジプト

レオン・コニエによって描かれた、ルーヴル宮の天井画のひとつ（図16）は、ラファエッロの《アテナイの学堂》に想を得た象徴的な構成によって、ナポレオンのエジプト遠征を言祝いでいる。中央の奥に設えられたテントの下で、ボナパルトは高官、学者、芸術家たちを従え、前景には先端に剣をつけた銃をもつ一人の兵士と、長いカービン銃をもつ一人のアラブ人が立っている。画面の左側では三人の男たちがひざまずいて地図に見入っている。右側には兵士たちとミイラを抱える農民（フェラー）がいる。そこから離れた岩盤の上では、紙挟みをかかえた考古学者が裸体のアラブ人に指示を与え、その背後では、一人の女性が大壺（アンフォラ）を頭上に載せて前に進んでいる。

　エジプト遠征の軍事的、および学問的な特徴は、ここに然るべき仕方で際立たされている。しかし、このような大仕掛けの構成も、神殿の壁面や円柱に刻まれた兵士たちの名前の素朴な雄弁を前にすると色褪せないであろうか。メディネト・ハブの神殿の「ジョロワ、七年（一七九九年）」（Jollois, An 7 [1799]）の署名は、壁面に描かれたラムセス三世の戦役（図17・図18）よりも大胆な企てを記念している。ルイ・シャルル・アントワーヌ・ドゼーの指揮下のフランス軍は、アブキール湾でのネルソン提督の勝利によって撤退したが、上エジプトへと進み、ヌビアでエジプト親衛軍（マネルク）を撃ち破り、そしてエレファンティネ島を見て、アンティノポリスを見た。その地の建造物は、製糖工場を建設するために、石灰岩と岩石が掘りだされ、粗い素材へと粉々にされて、消滅した。壁面に刻まれた、素朴な兵士たちの名前、コム・オンボスの神殿の舗床に刻まれた伸びた植物の粗雑な図像、人体や動植物を連想させるもの（図19・図20）。兵士たちと巡礼者たちの痕跡は、すべてが栄光に包まれたファラオたちの定型的な彫像よりも心を揺さぶるのである。

（一九六四年／伊藤博明）

ピラミッドの内と外

クフ王のピラミッド（図1・図2）の内部への訪問を、『ブルー・ガイド』は、「虚弱な体質」の人に勧めていない。というのは、「入口から内部へと進んでいくにつれて、呼吸するための空気がきわめて苦しい感覚を訪問者にまちがいなく生みだすので、必ずしも全員が同じように耐えることはできない」からである。続いてわたしは、チェーザレ・ブランディの『緑のナイル』（*Verde Nilo*, 1963）において、彼の個人的なおぞましい経験を読んだ。

そこに入っていくにつれて、熱さが、大きな船の奥底で、機関室の近くにいるような熱さに変わった。そして、空気も良くはなかった。額から汗がしたたり、名状しがたい気分の悪さを感じた。すぐにわたしは自らに対して命令を下して、最初の入口から、大きな——いわゆる——驚嘆すべき上階の回廊へと導く、恐るべき船架の登攀を始めた。それはわたしにとって、ほとんど説明に言葉を要しない経験だった。わたしは引き返すべきであった。

わたしといえば、呼吸も脚力もさして気にはならなかった。しかしながら、手すりにつかまり、頭をぶつけないように四つん這いになって進み、上階の回廊にたどりついたときには（図3・図4）、おそらく、あまりに身体的に苦しい運動に集中していたためであろうか、そこに驚嘆すべきものは見いださなかった（わたしはかろうじてわたしの骨

図1――クフ王のピラミッド
（ギザの大ピラミッド）とスフィンクス
紀元前二五五一年頃〜二五二八年頃　外観
高さ一四六メートル　エジプト　ギザ
図2――クフ王のピラミッド　内部への入口
図3――クフ王のピラミッド　大回廊への登攀路
図4――クフ王のピラミッド　王の墓室への大回廊
図5――クフ王のピラミッド　王の墓室
図6――クフ王のピラミッド　露出した切り石

を支えることに成功したというのに、完全で、比類のない石塊の嵌めこみに感嘆することができたであろうか）。わたしはようやく王の部屋（図5）に着いたが、その厳密に方形につくられた空間には、もしこの長い登攀のあとでわたしに息が残っていたならば、わたしも息を呑んだであろう。

そこには、内部が空虚な花崗岩製のひとつの石棺があり、その箱からはファリナータのような、王妃の半身像が現われるのが期待できたであろう。ただし、このような幻想は、そこを松明の光が照らしだしていた時代にはおそらく可能であったと思われ、そしてそれは、息苦しく、恐ろしい経験であったにちがいない。現在のネオンの照明は、たしかに不安を軽減しているどころか、その光源は太陽に向かって開かれている小窓のように見えた。こうして、呼吸は少し楽になり、外界との連絡も閉ざされていないように思われた。このような部屋のなかでは、多くの暗示が可能であろう。しかしながら、労苦と結果をすべて考慮したうえで、わたしは、かくも少しのものを得るために、かくも苦労することはなかった、と結論せざるをえなかった。

当然のように、わたしがピラミッドに登攀しようと試みることは永遠にありえない。ピラミッドは、石灰石の滑らかな上張りを失い、鰐の鱗の甲冑のようにひび割れている（図6）。登攀どころか、いずれにせよ、ここがロッククライマーの勇敢さを証明する場所であるとは、わたしには思えなかった。しかし、われわれのグループの若者たちは、このようには考えていなかった。老人たちが彼らに追いついてみると、すでに太陽は没しようとしており、空気が冷え始めているにもかかわらず、彼らは、同伴が必須であるアラブ人ガイドとともに登攀する準備をしていた。

カプリで仕立てた一対の靴を履き、とても軽快に動くことができると自ら信じていた着飾った若い女性に、遺憾な、また喜劇的な出来事が降りかかった。登攀の半分の、おそらくは三分の一の地点で、その靴は彼女の努力に報いることができなくなった。そして、ダンテの英訳者（アラン・アンダーソン）が犯した、恐るべき二重の意味の視覚的実演がおこなわれた。というのも、彼は、ダンテ『神曲』「天国篇」第一一歌の「エジディオは素足になり、シルヴェストルは素足になる、新郎にならって……」（Scalzasi Egidio, scalzasi Silvestro / dietro a lo sposo ...）を、「エジディオは素足となり、彼の背後のシルヴェストロは……」（Giles bares his feet, Sylvester his behind …）と訳出したのである［'dietro' が 'Silvestro' を修飾すると理解した］。この一文をわたしは然るべき間をおいて読んだが、笑いの爆発をこらえることができなかった。この不幸な女性は、可能なかぎり、この災難に答えた（マンゾーニ［『いいなずけ』第一〇章］の有名な文言の冒瀆をお許し願いたい）。彼女はいきなり立ち止まり、脇腹のあたりまでセーターをひっぱった。そして、ガイドなしではピラミッドから降りることは許されていないので、ほかの人びとが登攀を終えて、そこに戻ってくるまで待つことを強いられた。

このことは登攀してから一五分後に起こったと思われる。しかし時間は過ぎ、太陽は沈み、天空は地平上では明るかったが、天頂は暗くなり、微風が吹き始めた。ほかのあらゆる環境は心地よいものであったが、この身動きがとれない若い女性にとっては、おそらくセーターの位置を整えて、いつもの上半身を守る機能に戻したとしても、むきだしの岩につながれたアンジェリカ［アリオスト『狂乱のオルランド』の登場人物］のように、心地よいものではなかった。一瞬のあいだ、わたしは、ほかの人びとは彼女のことを忘れて別の道をとることを決めたのではないかとさえ思った。しかし彼らは、すでにすっかり暗くなってから戻ってきた。そして、この薄闇が、シェイクスピア［『ジュリアス・シーザー』］のアントニーが、「もっとも残虐非道の一撃」（the most unkindest cut of all）と呼ぶことができたであろう出来事を隠蔽するのに味方した。

わたしは、すでに述べたように、下方の平地にとどまっていた。そして、結局、崇高な瞬間をもつことのなかった午後が、最後のグロテスクな事件によって損なわれるという恐れを抱くことなく（夕方の色彩に和らげられたスフィンクス――実際には、ハルマキス神を表現しているスフィンクス――はブリジット・バルドーの相貌を呈していた）、そのかわりに、ファルーク王のレストハウスの庭園で、ほかの老いた仲間たちと座ってレモネードを飲んでいた。そしてわたしはただちに、そのレストハウスを訪ねることを決心した（図7-1・2）。

もしファルーク王が、エジプト様式を、ただ噂によって知っていたならば、彼のレストハウスという偽造品は、許

図7‐1———ムスタファ・ファミー・パシャ設計　ファルーク一世のレストハウス　一九四六年　ギザ、東墓地
図7‐2———ファルーク王のレストハウス　エントランス

されないものとはいえ、それを理解することは可能であろう。要するに、一八世紀ヨーロッパの甘美な中国製手工芸品は偽造品であり、真正の中国趣味による別の品々も下卑たものではないが、結局は、彼ら特有の貴族的な気紛れである。しかしファルーク王は、エジプト美術の傑作を直接知っていたし、さらには自らの館の「エジプト的」中庭を誇っていた。その中庭で、あまり不快でないものとは、エジプトとスーダンを擬人化した、一九世紀の派手な様式の二つの女性像であり、もっとも不快なものは、たしかに、階段の最上部に置かれたアラバスター製の二つの球体であり、それらは内部から照らされて、夜間の部屋の赤みがかった光を最悪な仕方で放っている。

そしてファルーク王は、本物のアンピール様式の家具を入手するための十分な資財はあったが（図8）、しかし応接間には、一九世紀末の商業的偽造品を良品として受けいれており、半世紀前のホテルのロビーに存在していた、遠くから模造金を見せびらかすブロンズ像があった。実際、ファルーク王は、アンピール様式をこのようなホテルでしか知ることがなかったにちがいない。そこにはまた、ローマのオペラ座の天井に描かれた人物たちの姉妹である、ハープ弾きの姿をともなうラジオ・レコード・プレーヤーが置かれ、またヒエログリフで記されたファルーク王の名前が見いだされた。

書斎は、トゥトアンクアメンの家具を（悪しく）摸倣したものと、ピアチェンティーニ様式のような花崗岩の塊でしかない書き机と、真珠貝で象嵌された「魂の審判」の表象をともなうおぞましい衝立が混合されている。部屋の中央には無秩序に、散歩する犬たちのように、スフィンクスが気ままに置かれており、それが人を座らせるものなのか、人を躓かせるものなのかあまり定かではない。灰皿に供するために、仰向けに横たわるエジプト人の少年にも事欠かない。真珠貝製のチャッカーのゲームと象牙製のチェスのゲームは、同じ趣味の悪い一族に属している（図9）。

そこでは、恐怖から恐怖へと進んでいく。調和しない青色で裏打ちされ、雑種のライオンたちによって支えられ、封蠟のつめもののような王冠を載せられた、世襲の君主の揺り籠。偽ロココ様式の寝室。旅行代理店の壁に見ることはない、古代エジプトの生活の場面を表わした壁画のある喫煙室。トゥトアンクアメン風の総じて偽の家具。星辰を

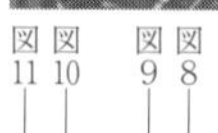

図8――ファルーク一世の家具　ロクニ・ファルーク博物館　カイロ　ヘイワン
図9――ファルーク一世のチェスボード　ロクニ・ファルーク博物館（ファルーク一世離宮）　カイロ　ヘルワン
図10――ハープ弾きの青銅像　ロクニ・ファルーク博物館（ファルーク一世離宮）　カイロ、ヘルワン
図11――クフ王のピラミッドとファルーク王のレストハウス　ギザ

ちりばめた天井。ほかの光が消えると、昇華物で満ちた利羅のように輝くアラバスター製の円柱。最初に目につくものが、娼館に見られるような優れたハープ弾きの人形のある食堂（図10）。そして、これらすべてがピラミッドの傍らに存在する（図11）。

一度わたしは、悪しき趣好の探索のために路上に身を置いて、わたしのカイロ滞在に、このような類いの別の訪問を割りこませたが、それは、エリザベス朝の演劇においては、一般的に喜劇的な要素が真面目な要素と交錯するようなものである。カーン・カルル（エル・ハリーリのハーン［隊商宿］）の巨大なスーク［青空広場］では、あらゆる種類のもの、すなわち絨毯、布地、宝石、精度の低い銀貨、がらくたの記念品を売る多くの商店がぎっしりと軒を連ねている（図12・図13）。そこで、色彩、薬種、人物のまったく思いもかけない並置（さまざまな金属からなる一枚の二連画はネフェルティティとナセル大統領とを結びつけていた）を見いだすことができる場所は、ロータス・パレス・オブ・パフューム［香水の蓮宮殿］という、狭い香水屋で、その入口では老アラブ人が、店に入る者たちに品物を買わせようとして、コーランの数節を朗読している。

そこでは、薬局と娼館とのあいだの雰囲気をもつ部屋のなかで、椅子と、壁に沿った絨毯に覆われたソファーに人が座っており、香料売りが彼の手に一滴たらす香水を吟味しようと順番を待っている。そこに見られるのは、ジュリオ・ロマーノの《アポロンとムーサたちの踊り》から前世紀末の淫らな挿絵まで、印刷物と貧しい絵画で一面を覆われた壁面である。そこここに、リバティ様式の時代のガラス、様式化された花々、呆然とした面持ちで、蓮の花を嗅いでいる古代エジプトの少年がいる。しかし幸運なことに、香水は、壁面を覆っている恐怖の蠕虫がうごめくパンテオンよりもはるかに良質であった（図14・1・2）。

そして、そこにはカフェ・ベシャウィ［カフェ・エル・フィシャーウイ］が存在する（図15）。この店はいわば、長く細い管のようなものであり、棚の上に壺、容器、水ギセルをそなえた錬金術師の実験室のようなものとして始まり、埃がのっているとはいえ、燦めくガラス製の棒から吊されたカーテンに続いて、とりわけ、窓の塵芥が積もってい

図12――エル・ハリーリのハーン　一三八二年～八九年建設　カイロ
図13――エル・ハリーリのハーン　店舗

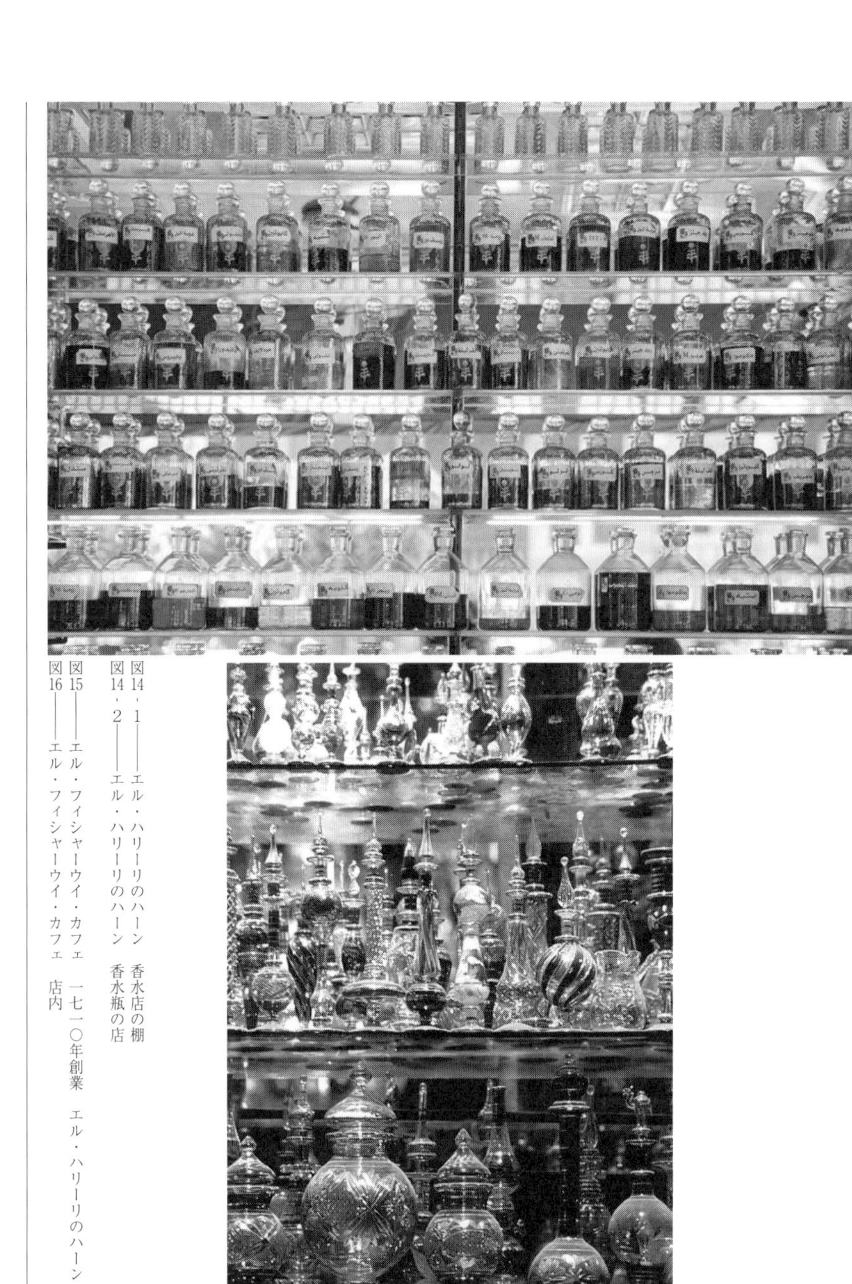

図14・1──エル・ハリーリのハーン　香水店の棚
図14・2──エル・ハリーリのハーン　香水瓶の店
図15──エル・フィシャーウイ・カフェ　一七一〇年創業　エル・ハリーリのハーン　カイロ
図16──エル・フィシャーウイ・カフェ　店内

る天窓や格子をもつ、昼のような明るい天井の下を進んでいく（図16）。廊下は狭い身廊のようで、その側面には、一九世紀の額にはめられた重々しい鏡が設えられた小さな隠処と寝室の入口が開いている。そこには、黄金の装飾、古びた鏡台、朽ちかけた箱、吊された黒っぽい動物の剥製、錆びたシャンデリア、色あせた写真という痕跡が保存されている。

そして、このような傷を帯び、穴が空き、輝きがくすみ、極限まで朽ち果て、埃っぽい部屋のなかで、あなたはぐらつく小テーブルの上に腰を下ろし、数々のモスクや無害とはいえない虫、あるいは、拒否してもあなたの足から靴を脱がそうとするご機嫌取りたちにさほど気をとられることなく、薄荷茶という、怪しげな味の、たぶんひどい味の飲みものを待つことになるであろう。しかしここでは、そのほかにこの部屋と調和するものはなにもみいだすことはできない。

さらに、わたしがスークで、裸足で鉄製の器具を操りながらシャツにプレスしているアラブ人を見たとき、ヒエロニムス・ボスの常軌を逸した人物たちの一人を想い起こした。そしてすぐに、このアラブの世界の鍵を見いだしたと思った。すなわち、あの奇矯な画家の世界のように、この世界は、ヨーロッパ人にとって、逆しまの世界として現われるのである。

（一九六四年／伊藤博明）

エピローグ　オリエントのマリオ・プラーツ

一八世紀半ばから一九世紀にかけて、ヨーロッパから見た「東方＝オリエント」とは、地中海をとりまく広大な領域を支配したオスマン帝国とほぼ同義と言ってよい。フランス大使の秘書としてイスタンブールに長く滞在したアントワーヌ・ガランが『千夜一夜物語』を翻訳／改作し、神秘と官能のオリエントという定型的イメージが浸透したころ、それまで大陸からイタリア半島にとどまっていたグランド・ツアーは、さらに東方へと規模を広げ始めた。

一七五〇年から翌年にかけて、東洋学者ロバート・ウッドは富裕な若き知識人とともに、レヴァント地方に残る古代ローマ遺跡を調査している（「オリエントへの旅」）。その直後に、ポンペイやヘルクラネウムなど古代ギリシア都市の発掘調査が始まり、新たな古典の再発見に沸きたつヨーロッパの人びとは、真のギリシア、真の古典をもとめて堰を切ったように東を目指した。

大きな転機は、ナポレオン軍のエジプト遠征であった。古代エジプト文明への知的関心が一気に開花し、プラーツも愛した帝政（アンピール）様式の流行を生んだことは周知のとおりであるが、その一方で、仏軍侵攻に対抗したオスマン帝国がムハンマド＝アリーの傭兵軍を送ったことを契機に、まずエジプトが事実上の独立政権をうちたて、つづいてギリシア独立戦争が始まった。こうして帝国を束ねていたスルタン＝カリフ支配がほころびを見せはじめた一九世紀前半には、西洋の作家や画家たちがつぎつぎと東方を旅し、数多くの紀行文学と絵画が生みだされていく。それを加速したのは、ギリシア航路の確保と蒸気船の導入であった。

プラーツが生涯考察し続けた新古典主義とロマン主義は、ヨーロッパが「オリエント」を改めて発見した時代の産物であった。したがって、本書にもたびたび登場するイギリスとフランスのロマン主義者たちがそこでなにを見て、なにを感じたのかを解き明かそうとするならば、プラーツがおそらくほかのどこよりもオリエントに関心を注いだのは必然であったと思われる。

その証左に、彼はアラビア文化の色濃く残るイベリア半島を巡り、一九二八年にその旅行記『五角形の半島』を著わし、一九三一年にはギリシア旅行を果たしてかの地の建築と風景をつぶさに見ている（『ギリシアへの旅　一九三一年の日誌』一九四二年）。そののち、第二次世界大戦の破壊と戦後の混乱を経て、遠方への観光旅行が盛んになる時期に、イギリス、フランスの支配から独立してまもないオリエントの国々に赴いた。本書に集められたレヴァント地方への旅にまつわるエッセイは、異文化の驚異や異国趣味といったオリエンタリズムのフィルターを介さずに、プラーツ自らが訪れた場所、その風土、都市、建築、文化についての冷静な観察が特徴的である。自然や気候が何千年もかけてつくりあげた光景には率直に感嘆するプラーツであるが、こと建築や工芸品など人工的なものについては、ロマン主義的（アロマンティコ）でない記述が徹底されている。

たとえば、バールベックの壮大な遺跡を「ロマン主義的な無秩序をはらんだ文章」で伝えたラマルティーヌやバレスを引用したすぐあとで、そこに聖なるものはほとんどなく、皇帝のために富と豪奢を注いだ舞台と断じたり（「バールベック巡礼」）、十字軍時代の聖ヨハネ騎士団の城を「ひどく高くついた戦いの美しくもおぞましい道具であり、白い巨象」と言い切ったりするのである（「騎士の城」）。

他方で、カイロでベリー・ダンスを見たときのプラーツは「じつに官能をそそる煽情的なエネルギー」を感じとり、そのうえで、百年前にフロベールが踊り子クシウク・ハネムの肉体に見いだしたおぞましさと甘美さの同居する魅惑に接続している（「エジプトの空」）。この体験をもとに著わされた、古代カルタゴが舞台の『サランボー』や古代ユダ

図1——ジョルジュ＝アントワーヌ・ロシュグロス
《マトの告白を拒むサランボー》一九〇〇年頃
個人蔵

ヤ史に取材した『ヘロディアス』は、プラーツが『肉体と死と悪魔』から『ムネモシュネ』まで論じ続けた、世紀末的ファム・ファタルのひとつの源流であった（図1）。

一八世紀、一九世紀の旅人とプラーツとの無視できない違いは、やはり近代化がもたらした、目的地に到達するまでの時間と労力の縮減であろう。一九世紀に蒸気船が主流となり格段にスピードが増したとはいえ、レヴァントまで海路で数カ月を要していたのに対し、プラーツはおそらく当時まだ贅沢な移動手段であった航空機を使っている。午後二時にローマを出て、その日の夜にはベイルートで夕食をとるという時空がゆがむような奇妙な感覚も、空港で列をなす人びとや警備兵が西と東で変わらないことにより打ち消されたり（「オリエントへの旅」）、キャラバンを組んで何日もベドウィンの支配地域をいくかわりに、小型飛行機と自動車の窓からシリアに残る古代遺跡をとりまく地形を見ることに意義をみいだしたりと（「パルミラ」）、一九世紀の旅人との距離をつとめて埋めようとしたようにも思われる。その一方で、プラーツが違和感を覚えるのは、伝統衣装の上に西欧の上着をはおるアラブ人男性（「バールベック巡礼」）、埃まみれのパシャの宮殿に飾られた真新しいレヴァントの工芸品（「一九世紀のレヴァント」）、紛いものの伝統を寄せ集めた現代のエジプト王の建物（「ピラミッドの内と外」）、アメリカ資本の権化のような自動車やピラミッドのそばに建ち並ぶ観光ホテル（「ダマスカス」、「刺青を入れた神殿」）のちぐはぐさである。それは「ロマン主義的な要素のまったくない」対比であった。

「あらゆる真の建築は風景の表現である」、「一様に標準化された現代建築は、非自然的で非人間的」である（「刺青を入れた神殿」）。こう言い切るプラーツの立ち位置は、評価が分かれるにちがいない。けれども、アスワン・ハイ・ダムの完成によりナイル川の定期的な氾濫がなくなった現代にとって、そしてパルミラ遺跡が失われた二一世紀にとって、彼の文章はオリエントを旅した者にしか書けない貴重な証言でありつづけることであろう。

本訳書におさめられた各エッセイの原題と初出は次のとおりである（括弧内は連載時のタイトル）。

「オリエントへの旅」（"Viaggio in Oriente ," *Il Tempo*, 3 luglio 1956 [In Oriente].）
「パルミラ」（"Palmira," *Il Tempo*, 11 luglio 1956 [Il tempo non è scalfire la mitica bellezza di Palmira].）
「バールベック巡礼」（"Pellegrinaggio a Baalbek," *Il Tempo*, 17 luglio 1956 [Dalla verde oasi di Baalbek].）
「騎士の城」（"Il 'Krak des Chevaliers'," *Il Tempo*, 21 luglio 1956 [Un castello in terra saracena sopravvive alla santa guerra dei Crociati].）
「ダマスカス」（"Damasco," *Il Tempo*, 1 agosto 1956 [Antico e moderno a Damasco].）
「一九世紀のレヴァント」（"Levante ottocentesco," *Il Tempo*, 11 agosto 1956.）
「エジプトの空」（"Cieli d'Egitto," *Il Tempo*, 23 ottobre 1964 [Miserie e meravigli nell'anatomia dell'Egitto].）
「カイロのモスク」（"Moschee del Cairo," *Il Tempo*, 27 ottobre 1964 [Tra il sole e la polvere scorre la vita dell'Egitto].）
「刺青を入れた神殿」（"I templi tatuati," *Il Tempo*, 2 novembre 1964 [Per imbrigliare il vecchio Nilo l'Egitto sta perdendo il suo fascino].）
「偉大な者たちと卑小な者たちの痕跡」（"Vestigia di grandi e di umili," *Il Tempo*, 7 novembre, 1964 [Tra i monumenti dell'antichità faraonica inattese iscrizioni].）
「ピラミッドの内と外」（"Dentro e fuori delle Piramidi," *Il Tempo*, 17 novembre 1964 [L'Egitto è un mondo che vive alla rovescia].）

この書が読者の想像／創造力に、「オリエンタリズム」のあらたな視界を拓くことを祈りつつ。

二〇二三年七月　訳者を代表して　新保淳乃

人名・作品名　索引

碩学の旅Ⅱ

オリエントへの旅

――建築と美術と文学と

二〇二三年八月一〇日　発行

著　者――マリオ・プラーツ

訳　者――伊藤博明（専修大学文学部教授／イタリア思想史）

金山弘昌（慶應義塾大学文学部教授／イタリア美術史）

新保淳乃（武蔵大学人文学部講師／イタリア美術史）

責任編集――新保淳乃（武蔵大学人文学部講師／イタリア美術史）

企画構成――石井　朗（表象芸術論）

装　幀――中本　光（エディトリアル・デザイン）

発行者――松村　豊

発行所――株式会社　ありな書房

東京都文京区本郷一―五―一五

電話　〇三（三八一五）四六〇四

印刷／製本――株式会社　厚徳社

ISBN978-4-7566-2386-7 C0070

シリーズ　マリオ・プラーツ〈官能の庭〉Ⅰ～Ⅳ　監　修　伊藤博明

官能の庭Ⅰ
マニエーラ・イタリアーナ――ルネサンス・二人の先駆者・マニエリスム　定価　二四〇〇円＋税

官能の庭Ⅱ
ピクタ・ポエシス――ペトラルカからエンブレムへ　定価　三〇〇〇円＋税

官能の庭Ⅲ
ベルニーニの天啓――一七世紀の芸術　定価　二八〇〇円＋税

官能の庭Ⅳ
官能の庭――バロックの宇宙　定価　二四〇〇円＋税

シリーズ　マリオ・プラーツ〈碩学の旅〉Ⅰ～Ⅷ　監　修　伊藤博明

碩学の旅Ⅰ
パリの二つの相貌――建築と美術と文学と　二四〇〇円＋税

碩学の旅Ⅱ
オリエントへの旅――建築と美術と文学と　二四〇〇円＋税

碩学の旅Ⅲ
ギリシアへの序曲（仮）――建築と美術と文学と　予価　未定

碩学の旅Ⅳ
古都ウィーンの黄昏（仮）――建築と美術と文学と　予価　未定

碩学の旅Ⅴ
五角形の半島（仮）――建築と美術と文学と　予価　未定